TAYAOUT
FILS D'AGAGUK

YVES THÉRIAULT

TAYAOUT
FILS D'AGAGUK

L'ACTUELLE

955, rue Amherst, Montréal 132

Maquette de la couverture:
JACQUES DESROSIERS

Illustration:
JACK TREMBLAY

DISTRIBUTEUR EXCLUSIF:
AGENCE DE DISTRIBUTION POPULAIRE INC.
1130 est, rue de La Gauchetière
Montréal 132   (523-1600)

 2

TAYAOUT, nom chargé d'une hérédité qui plonge ses racines dans la nuit polaire de tous les temps; nom qui évoque les incantations propitiatoires des chamanes; nom qui claque dans le froid bleuté, tel un coup de fouet sur les chiens de traîneau.

TAYAOUT, rebelle isolé, indomptable, aux prises avec la société de consommation niveleuse de valeurs; contestataire primitif qui ne se reconnaît aucun maître à penser, qui n'appartient à aucun groupuscule, dont les sublimes révoltes distillent d'inquiétants instincts de mort.

J.-L. M.

PREMIÈRE
PARTIE

I

Quand l'homme se releva, matin d'entre tous les matins, recommencement semblable à tous les recommencements, il s'abrita les yeux de la main et contempla le vaste monde de neige, plat comme paume, infini et désert.

"J'habite le Sommet du Monde. J'y suis depuis des millénaires l'homme continuel, je suis sans âge parce que j'ai tous les âges. Je suis sans traces de l'ancêtre parce que je suis l'ancêtre en même temps que la continuation..."

Souvent, Tayaout entendait en lui des idées semblables, des idées sans mots, qui paraissaient venir de toutes les générations, qu'il ne pouvait exprimer et pourtant le remplissaient d'aise.

— A'ya! A'ya! murmurait-il alors, le visage plissé par un large sourire satisfait. Il aimait vivre, en ces jours-là. Il leur devait de se sentir homme seul et maître. Lorsqu'il cheminait ensuite dans la neige, ou qu'il courait derrière le traîneau tiré par les chiens, il ne cherchait plus à deviner les vies anciennes. Il les savait présentes à lui, une source où puiser sans qu'il sache la nature de la sève ou de l'élixir.

Tayaout, nomade magnifique à cause de la solitude choisie :

"Errant, que peux-tu savoir de tous les iglous, et qu'en importe-t-il puisque tu en es issu et que tu possèdes le Sommet du Monde ? Errant, errant, qu'importe ce que charrient les vents montant de toutes terres ? Au faîte même des géographies, n'es-tu pas celui qui fut nommé gardien des grandes glaces ?..."

Quand il eut chargé le traîneau, attelé les chiens et fait siffler et claquer le fouet du départ, Tayaout, en ce jour semblable à tous les autres, reprit le chemin de l'étoile et franchit toute la contrée sans bornes jusqu'à toucher aux rives de glace bordant l'eau libre.

Et sans que soient consultés lunes ou oracles, par un rythme de temps à lui qui n'a besoin de nul repère, il est parti des dunes neigeuses, où se cache l'ours blanc en hiver, et il est allé là où le sel de l'eau et la force des vagues empêchent que ne se fige l'océan polaire.

Car il a choisi de fuir les maison du Sud où ses semblables se vendent aux Blancs, pour parcourir ici les vastes sommets, où dans sa solitude il pourra entendre, à chaque jour presque, et apercevoir dans ses rêves, ces pensées douces, qu'il ne saurait mettre en mots puisqu'il ne les connaît point, et qu'il ne saurait non plus expliquer puisqu'il les entend sans trop les comprendre.

Ces pensées qui font de lui le maître des pays glacés, l'errant perpétuel, conquérant de toutes les tempêtes, chercheur d'un absolu qu'il ne connaît pas, mû inexorablement par les atavismes antiques.

Tayaout a érigé une sorte de muraille basse, en neige fraîche, tout près de l'eau. Il s'est étendu à plat ventre derrière cette muraille et a attendu six heures pour que se montre un premier museau de phoque sur la mer aux vagues brisantes.

Nul homme sur terre, autre que cet Esquimau patient, n'eût aperçu le mouvement du phoque.

Nuls yeux de Blanc, nul regard autre que celui d'un Inuk accordé au rythme de toutes choses, de toutes gens et de toutes bêtes au Sommet de la Terre.

Le coup partit, une balle sûre; l'eau rougit là où le phoque s'agite en mourant. Tayaout a choisi le poste de guet propice: une bête frappée au large, le courant l'amènera ensuite jusqu'ici sans avoir à naviguer sur la mer.

La prise est belle : c'est un pivelé, un mâle imposant. Il y aura de quoi amplement se nourrir, les chiens se régaleront des entrailles et la peau vaudra gros chez les Blancs, lorsque Tayaout ira renouveler le fourniment.

S'il en tue deux autres, ou trois, il pourra s'immobiliser ici, construire un iglou, attendre.

(Mais il ne sait pas ce qu'il attend...)

Il pourra survivre, cela compte, et continuer d'espérer.

(Mais il ne sait pas ce qu'il espère...)

* *
*

Il ignore vraiment comment il en est venu à ce mal en lui de continuer à vivre là où les Inuit étaient auparavant. On a chaque heure du jour, à l'oeuvre, en mouvement, aux haltes, durant les veilles, raconté autour de lui combien grands étaient les anciens, nommés un par un, reliés à la famille, au groupe, ou même au simple peuple; un oncle au loin, un cousin, le frère d'une des femmes, un grand-père parfois, un ancêtre, ou quelqu'un sans âge et sans fin, dont on parle depuis cent ans, ou mille ans, et dont on ne sait s'il habitait l'Est ou l'Ouest, mais seulement le même pays, le continent des froids perpétuels.

On a parlé des déportements de la banquise, des dévoiements de chaque glace. On a minutieusement établi la chronique des vents, des soleils rares, des gels ou dégels, des migrations et des errances.

Tant qu'à la fin, Tayaout a voulu apercevoir de ses propres yeux la vraie forme de ce pays désert et ses vraies habitudes.

(Il habitait à l'époque avec Agaguk, son père, sa mère Iriook, et les jumeaux.)

Agaguk travaille pour les Blancs désormais, Iriook aussi : lui, selon la saison, elle, jour après jour, quelle que soit la couleur ou le climat.

Désormais, ils sont là, des centaines, Esquimaux des îles et des grandes plaines, gens de la Toundra, gens du Muskeg et même gens des arbres venus du bas-Labrador. Ils se sont rassemblés autour d'un poste, de deux missions, catholique et anglicane, et d'une unité sanitaire. Ils besognent tant bien que mal : l'important, maintenant ils mangent. On chasse le phoque en grande barque à moteur, on trappe en groupe et sur de bonnes lignes bien peuplées. Quand la carcasse est rare et le phoque au lointain de son périple, on peut travailler pour le Ministère et se procurer, au magasin, le suif, le saindoux, la farine, les conserves de boeuf mariné, les pièces de pemmican, le poisson saur ou salé.

Finies les grandes disettes d'autrefois, quand manquaient, semaine après semaine, les gibiers de la mer et de la terre. Il n'y a pas si longtemps, on laissait mourir, durant ces ères difficiles, ceux des vieux ne pouvant plus participer aux chasses et aux travaux. Et l'on ne gardait des filles à la naissance qu'un nombre congru pour la reproduction.

Or, sont venus les Blancs et l'on n'a tout d'abord rien fait pour diminuer les famines, et tout fait pour éviter cet émondage des rameaux d'une tribu. Mais peut-on, avec de la seule science de Blanc, qui ne vaut guère mieux que l'ignorance en pays polaires, repeupler et ranimer les terres bréhaignes de neige et de glace, où vivaient les ptarmigans et n'y vivent plus, où couraient les renards et chassaient les ours, devenus rares comme haut soleil ?

Puis les Esquimaux ont quitté le Sommet de la Terre et ont consenti à se grouper avec les Blancs. A Frobisher Bay, devenus citadins ; à Povungnituk, devenus artisans et fabricants; et ailleurs, où ils sont mineurs, mécaniciens, transporteurs ou manoeuvres...

Mais le changement n'est pas venu comme vient le dégel: il a fallu du temps, des époques de migration, puis l'installation graduelle, jusqu'à l'enracinement d'aujourd'hui.

Et Tayaout, lui, avait choisi un sort durant les premières installations.

Il y avait peu de promesse assurée, peu d'oeuvres vives des Blancs ; on palliait l'effet des maux, on ne les guérissait pas encore. On aidait à mieux choisir une ligne de trappe, on fournissait — contre rançon, bien sûr — une barque à moteur pour aller au phoque, aussi loin qu'on pouvait naviguer. Mais la barque était quand même rudimentaire, et nul homme n'y fût devenu simple bâbordais en pendant son hamac en bon lieu. Quinze Inuit à bord, soit, mais pour y dormir enroulés dans la peau de caribou ou de phoque, entassés à fond de cale, ou tout simplement sur le pont, face au vent.

Il y avait autant d'iglous que de maisons à Povungnituk, et la mission du Père, si elle est construite aujourd'hui en moellons, n'était à l'époque qu'une hutte de bois, d'os et de peaux.

Ce n'était plus la course infinie, à la trace des gibiers rares, une tribu à la fois vivant d'iglou en iglou, exposée à périr misérablement de faim dans le haut des Iles. C'était déjà mieux, c'était la protection des Blancs et de leurs avions.

Et pourtant, les récits restent nostalgiques...

Tayaout apprit alors, de son père Agaguk, comment il valait mieux observer dans le ciel, lorsqu'on le peut, l'Etoile femelle plutôt que les autres, l'Etoile mère au clignotement plus jaune et qui pend tout près de la neige, là-bas, au bout de la plaine, et comment avec celle-là nul homme ne se perdait jamais sur les glaces.

Et qu'au sud était la mer libre, et à l'est aussi.

Et qu'au nord était le vrai Sommet où bâtir un iglou en tout temps, le Dos de la Terre, la grande banquise.

Il apprit que les pistes vont souvent en direction du vent qui fait les dunes, comme si les bêtes tenaient ce vent de dos, qu'il ne les aveugle point.

Il apprit tant de choses et conçut tant de regrets d'être astreint à la vie décrétée par les habitudes des Blancs, qu'il résolut un jour de reprendre les démarches anciennes et partit un matin sans vergogne, vers l'Etoile femelle, vers le sens des pistes, vers les glaces, vers la solitude.

Vent au dos...

II

Encore enfant, et pourtant en forme d'homme déjà, dix ans à peine, Tayaout se baignait nu avec ses camarades, là où la rivière Povungnituk rejoint la mer.

Eau douce de juillet venue du centre de l'Ungava, et bue ici par la grande eau de la mer salée ; par bonheur, un bassier au demi-large barre l'estuaire, tempère les vagues sans empêcher le mouillage en eaux bonnes pour les barques de la Hudson's Bay Company.

Ce n'était certes point les ondes tièdes des océans du sud, vraiment tièdes, vraiment douces, mais on y trouvait de la joie. A courir comme des fous sur la grève, à patauger deux minutes à peau libre : deux instants de durée et la folie pure de ceux qui sont jeunes, se réchauffant à bouger grotesquement et, lorsqu'ils se rhabillent bien vite, se sentent ragaillardis.

Tayaout et les autres ont appris ces jeux des Blancs. On n'eût jamais risqué, chez les aînés, la trempette à l'eau, considérée comme maléfique.

Mais les temps changent.

Ils ont changé, ils changent, ils changeront : voilà peut-être le bien, voilà peut-être le mal. C'est selon qu'on aperçoit un seul passé monolithique, où voisinent pour l'aide d'âme autant le beau que le laid, le triste que le joyeux, le bénéfique que le mortel. Le cheminement dans toutes les aires du froid, si Agaguk en parle, il s'en nourrit et refait dans l'iglou les gestes de marche ardue pour illustrer son récit. Il tranche de la neige, il taille les blocs, il édifie un iglou tout en parlant ; il en est ému.

Il n'a pas été dit la souffrance du froid lorsqu'il n'y avait plus de graisse de phoque pour la lampe de chauffage, lorsque la faim affaiblissait les corps, lorsque le blizzard empêchait la tribu d'avancer plus loin.

Si, parfois, l'Ancien en parle, il élève la misère au rang d'événement presque désirable.

Mais il n'y retourne jamais.

C'est à peine s'il a raconté sa rentrée dans la tribu, quand Tayaout eut atteint six ans. Et pourtant, il raconte maintes fois chaque hiver son départ, bien auparavant, lorsqu'il a voulu commencer sa vie seul avec Iriook dans le vaste pays derrière Povungnituk.

Si bien qu'un jour, c'est à Tayaout de partir à son tour, mais seul ; d'aller chercher bonne vie vers le Haut Nord, mais sans l'avoir vraiment d'abord connu.

Quand Agaguk était revenu vers son village, c'était parce qu'il ne chassait plus assez pour subvenir à tous les besoins de l'iglou d'hiver, de la tente d'été : le gibier s'était enfui et ne restaient que de rares prises, souvent à mauvaise fourrure. L'aventure des phoques, chaque année, devenait de moins en moins fructueuse. Alors, on lui avait dit qu'autour des deux missions et du Magasin de la compagnie, d'autres Esquimaux s'étaient rassemblés ; ceux du village d'autrefois, Ayallik à leur tête, et qu'ils y vivaient mieux. On allait sur de plus lointains territoires de trappe, mieux munis de pièges, mieux armés, mieux fournis en vivres. Pour chasser le phoque, on pouvait louer à dix ou quinze l'une des lourdes barques à moteur de la Compagnie, aller au grand large, aux lès d'îles lointaines et désertiques et rentrer pleins bords.

La discussion avec Iriook avait été brève.

— Ici, c'est mourir. Là-bas...

— On te l'a bien dit ?

— Oui.

— Qui ?

— Ayallik, les autres.

— Ils mangent ?

— Ils mangent, ils ont des balles, les femmes ont du coton et un chaudron de fer.

— Et si on nous renvoie ?

— Personne n'est renvoyé. Les Blancs donnent même des maisons de bois aux meilleurs chasseurs.

— Des maisons de Blancs ?

— Avec un toit, des trous pour regarder dehors, des portes, chauffées avec de l'huile.

— Qui paie l'huile ?

— Nos chasses, mais elles sont bonnes.

L'hiver précédent, les jumeaux avaient plus que les autres dans l'iglou souffert de la faim. La fille avait été dolente, toussant, se traînant à peine. On avait été, une fois, cinq jours sans viande et c'était un renard tué par Agaguk qui les avait finalement nourris. Si l'on peut dire.

Agaguk avait aussi pêché du poisson sous la glace de la rivière... Mais tout cela avait été pénible et, à la fin, l'on n'avait survécu que de courage et d'immobilité devant le destin.

A l'été, Agaguk avait voyagé jusqu'à l'embouchure de la rivière, jusqu'au nouveau village. Et il avait aperçu les siens encore gras d'avoir mangé durant les grands froids.

Maintenant, il voulait habiter là.

— Nous pourrons manger, nous aussi.

Ils le savaient bien tous les deux, lui et Iriook; ce n'était pas l'été qui était difficile. Le gibier d'eau, alors, les oiseaux, même le bas gibier étaient presque abondants. Mais dès l'hiver venu, et il venait tôt, dès que l'Inuk avait les mains aux choses de la neige, c'était le temps dur, affamé, la longue nuit sans viande, sans feu...

— Partons, dit Agaguk.

Et Iriook, qui avait réfléchi et qui pouvait encore le retenir pourtant, acquiesça de la tête.

— Quand tu voudras.

* *
*

Ainsi vinrent Agaguk et sa famille jusqu'au grand village, abandonnant la vie qu'ils avaient tenté de vivre loin des tribus, liges de leur seule contrée déserte.

Ainsi vinrent donc Iriook et les jumeaux à la vie de groupe.

Ainsi put grandir Tayaout en entendant tous les récits, ceux de son père et ceux des autres hommes, cette incessante chronique des temps anciens qui s'imprégna au coeur du jeune Esquimau.

Dans les débuts, Agaguk ne se mit pas de gré à gré aux tâches que subventionnait le Ministère. Il profita plutôt de la chasse en barque ; il se joignit à Ayallik pour des excursions de trappe au-delà de l'horizon d'est. Il nourrit sa famille et découvrit qu'en échange de ce qu'il pouvait dire pour renseigner les autres sur ses expériences, il apprenait d'eux leur propre savoir. Il devenait infiniment plus savant

20

qu'il n'aurait cru possible sur la démarche des bêtes, l'astuce des phoques, les façons des bélugas, des baleines blanches qui rapportaient encore gros en huile, en chair, en peau. Sur tout ce qui courait et nageait dans le pays.

Il s'en trouva comblé.

Il disait à Iriook :

— Quand le béluga sort de dessous la glace et qu'il se trouve en eau libre, il ne respire pas tout de suite, mais il émerge d'un côté de la tête pour observer d'abord.

Il n'avait jamais auparavant remarqué ce geste, attendant le jet de l'évent. Il venait de l'apprendre. C'était sa nouvelle science. Il faut être rapide, la gâchette sûre, l'oeil sans papillotement. Alors qu'au moment de la surveillance, le béluga reste assez longuement dans sa position à fleur d'eau, celui qui l'aperçoit peut viser à loisir, toucher l'oeil du premier coup, transpercer la cervelle.

Cette seule parcelle de savoir, à peine une miette vraiment, mais quand même issue, cette miette, d'un cerveau plus ancien que celui d'Agaguk, plus sage encore, valait son pesant d'or.

(Ou son pesant de gras de baleine. Tous les trésors n'étant pas faits d'or, de vermeil et de myrrhe...)

A la mesure du temps passé en groupe, Agaguk acquérait une expérience toujours de plus en plus vaste.

— Je suis contente, dit Iriook, nous avons bien fait de venir ici.

Agaguk aussi en était content.

Plus tard, il serait inquiet de Tayaout, mais cela viendrait en son temps, lorsque l'enfant atteindrait l'âge de chasser aux côtés des hommes...

Et cela vint quand Tayaout atteignit quinze ans ; l'âge d'homme fait. Il était trapu, comme son père, de visage plus lisse, n'ayant pas, bien entendu, comme Agaguk souffert tous les vents de toutes les toundras.

Il était puissant, ce fils aîné d'un grand chasseur ; ses jambes noueuses surtout étaient puissantes. Quand il voyageait en traîneau sur la neige poudrante, ce n'était rien pour lui, toute la longueur d'un long jour, de courir à côté de l'équipage en poussant de toute sa force pour aider les chiens. Et comme seul repos, les cent ou deux cents verges parcourues en se jetant assis sur la charge et en laissant les bêtes tirer plein collier.

D'une étape à l'autre, Tayaout était infatigable. Au soir venu, il était tout de même le premier à tailler les blocs de neige, à les transporter à l'endroit choisi, à constituer la spirale lente et plate qui formerait l'iglou.

Fort lui aussi, d'une même puissance, mais plus vite essoufflé, Agaguk contemplait son fils et il en admirait l'endurance. N'était-ce pas ainsi qu'il en avait rêvé, quinze ans, seize ans auparavant ?

N'avait-il pas aperçu dans son idée un homme tel que celui-là, de belle forme, le cou ramassé sur les épaules, l'oeil à voir s'envoler la perdrix blanche à six portées de fusil ?

N'était-ce pas vraiment celui-là, bougeant et vivant, l'écumeur de toutes neiges, le fils inventé autrefois, incarné là pour demain ?...

Mais comment pourtant devinerait-il, Agaguk l'enfanteur, ce qui émeut désormais les reins de Tayaout ? Sait-il quelle idée neuve il flaire et n'en sait pas encore reconnaître l'assurance ou la peur ?

Ne l'a-t-on point nourrie, cette idée, sans en savoir le germe et la germination, chez Ayallik et chez les autres, et tout autant chez Agaguk, à heures longues, à soirée longue : tous artisans d'une idée nouvelle, qui fut autrefois celle d'Agaguk et qui renaît en son fils... ?

Pour Tayaout, qui ne savait pas encore comment il le dirait dans leur iglou, ce fut Agaguk qui apporta de lui-même et inopinément l'instant de révélation nécessaire :

(Et pour continuer le rêve.)

—Là-bas, dit Agaguk, montrant le nord-est...

(Le doigt pointé pour précisément marquer la direction, l'oeil brillant, la lèvre humide...)

—Là-bas, il y a de la place pour mille pièges et dix mille bêtes pour s'y prendre.

Tayaout hoche la tête. Tout chasseur rêve d'un sol miraculeusement giboyeux. Tout chasseur tempère le rêve d'une raison qu'il appelle toujours à son secours. Y a-t-il donc dix mille bêtes ?

— C'est beaucoup de bêtes, déclara Tayaout.

— Elles y sont.

C'était de saisir le mot au vol, ou de le laisser se perdre : Tayaout n'hésita qu'une seconde.

— Je partirai.

Après, ce fut dans l'iglou qu'on en reparla.

Tous accroupis autour de la lampe qui ne s'éteignait plus jamais maintenant. Agaguk, tendu, le visage fermé, le regard morne. C'était à Iriook qu'il voulait s'en remettre, mais que trancherait-elle ?

— Tayaout veut partir.

Pendant des millénaires, de tels mots n'eussent voulu rien dire de grave, sauf qu'un membre de la tribu, légitimement, désirait prendre ses propres chemins. Ce n'était là que justice envers lui-même, s'il en avait décidé ainsi. Le plus probablement, ce serait pour se joindre à un autre groupe, plus loin, y prendre peut-être femme. Il n'y avait pas à discuter. Mais rien n'était plus semblable désormais : on s'était pétri autour de deux missions et d'un magasin, on faisait corps homogène, les coudes bien serrés, chaque effort devenu communal. Et celui-là qui part, n'a-t-on pas à savoir pourquoi il le fait et où il va ? On a besoin de son savoir et, s'il est jeune, surtout de ses bras. La masse humaine est devenue une bête à cent têtes, agissant comme un tout... Rompre avec cette habitude neuve ? Renier ce qui est devenu la seule survie ?

Agaguk, parti autrefois, et librement, qui mâche une parcelle de peau de phoque et cherche des mots qui ne lui ont jamais été enseignés :

— Un homme ne part pas seul.

Il sous-entendait que lui-même n'était vraiment parti qu'avec Iriook, que cela était le plan conçu, auquel il s'en était tenu.

— Par prudence, ajouta-t-il d'un même souffle.

Il fixa Tayaout :

— Et où aller ?

Le fils montra dehors, vers le haut du pays, vers le plus loin du pays.

— Au-delà de l'eau ? demande Agaguk.

— Loin, dit Tayaout. Comme cela se raconte.

— Et seul ?

Mais cette fois, c'était Iriook qui parlait.

Tayaout haussa les épaules.

— Seul ? répéta Iriook.

— Oui.

On réfléchit en silence, longuement. D'ici, de l'intérieur de l'iglou, on entendait dehors les chiens nerveux qui montraient les crocs, qui hurlaient dans le soir, qui jappaient aussi parfois, appelant, avertissant, conversant à la ronde.

Et seulement ce son habituel...

— Ici, dit Iriook, il y a de quoi manger à sa faim. Et le vent ne tue pas.

— Il pourrait tuer, dit Tayaout. Mais on s'en protège trop, il n'est plus du vent.

C'était irréfutable :

— Tu aimes mieux que le vent hurle librement ?

— C'est vivre.

Que dire à qui veut vivre par-dessus tout ? Et qui veut s'enfuir là où cent hommes ne survivent qu'à peine ?

— Tout seul... murmura Iriook, à qui cette notion de solitude semblait faire le plus mal. La fille d'Ayallik attend son premier homme, dit-elle comme en continuant sa pensée.

Tayaout haussa de nouveau les épaules :

— Je ne veux que cinq chiens à nourrir. Avec elle il m'en faudrait dix.

C'était l'argument le plus fort. Agaguk serait tenu de fournir des chiens. Il n'avait que trois chiots en croissance et douze chiens adultes. En donner cinq était déjà une privation et il lui faudrait effectuer des échanges. Si Tayaout en demandait dix, qu'adviendrait-il des deux derniers mois de chasse ?...

— Tu partiras à l'automne, dit Iriook. J'aurai l'été pour coudre des anoraks, lacer des raquettes, fumer du poisson et de la viande. Tu partiras mieux.

— Je partirai demain, fit Tayaout.

Et l'on comprit soudain qu'il avait longtemps songé à ce jour, qu'il en avait fait un but, et que plus rien, puisque tout était dit et su, ne le retiendrait.

Donc, il partit le lendemain, maigrement fourni, transportant peu de vivres, et seulement cinq chiens attelés aux longues lanières fixées à la traîne.

Iriook assista au départ, impassible, son visage rond sans un sourire, mais aussi sans larmes.

Agaguk, de son côté, posa par terre trois pierres en triangle et nomma ce geste une propitiation.

Il avait depuis longtemps conservé ces cailloux pour en faire une offrande si jamais il en était besoin :

25

mais nul besoin ne s'était manifesté, nulle famine, nul manque. Seulement ce départ, qui lui apparut assez grave pour mériter qu'on en informe les esprits dans le ciel, quels qu'ils puissent être.

Il n'avertit personne du village de la défection de Tayaout, sauf Ayallik, mais à celui-ci il dit aussi :

— Mon fils me suit et me ressemble. Il ne veut respirer aucun air que d'autres respirent. J'étais comme lui.

— L'es-tu encore ? demanda Ayallik.

— Je le suis peut-être, dit Agaguk, mais j'ai eu faim.

III

A l'embouchure d'une rivière qui traverse le bas Labrador et se jette dans la baie d'Ungava, vivent des Esquimaux métissés de Nascapie et qui, au contraire de tout Inuk de tout pays du Grand Nord, remontent ce cours d'eau jusqu'à trouver des arbres sur ses rives, qu'ils abattent et dont ils vendent le bois scié en planches à d'autres groupes, leurs semblables, pour se construire des maisons.

Ce fut là que Tayaout alla d'abord, voyageant plus de mille milles à travers la toundra, et ensuite à travers la forêt où il faillit se perdre dans la touffure.

Ensuite il voyagea vers l'aval-nord sur la rivière gelée et parvint à un village de tentes et d'iglous où il demeura trois mois.

Il pêcha de l'omble pour les Blancs, guida des Américains curieux, abattit des arbres avec ses nouveaux amis, aida à flotter des billots jusqu'à la mer salée et à les débiter en bois d'oeuvre.

Plus tard, cet été-là, il se rendit compte de s'être mis en pire situation encore puisque ici, il travaillait surtout pour les Blancs, maîtres et gérants de toutes les tâches.

Il s'éloigna et rejoignit des caps monstrueux de pierre aride, sortes de dos de chien hargneux s'avançant dans la mer à Pusikartook.

Là, il vécut de poissons et de petites bêtes tout l'été, campé seul sur une rive assez haute pour le protéger des marées énormes de la mer d'Ungava.

Quand vint l'hiver, il traversa le détroit déjà pris, gagna le centre de Baffin, puis Ellesmere et, de là, se rendit au Sommet de la Terre.

Il vécut maigrement des phoques abattus en eaux libres, et parvint tout juste à survivre lui-même et à nourrir ses chiens. Mais quand vint le dégel, il retrouva la mer, les rives rocailleuses, et se gava tout l'été.

Il vivait.

C'était le mot en lui, vivre...

Et voilà que dans les immensités il avait commencé à ressentir ces pensées que jamais il n'aurait pu exprimer, des pensées puissantes, des pensées profondes, des pensées enivrantes.

"Notre terre et ses vents racontent des mers sans fin et chaudes, plus au sud..."

Il soufflait, en effet, à travers le pays polaire, un vent tiède, montant du sud, qui n'avait plus les mêmes odeurs et qui semblait parler en longs chuchotements comme des étreintes de nuit d'iglou...

Tayaout, dressé dans le soir, épiait le ciel, tentait de deviner la forme de ce vent.

Et il se sentait heureux d'avoir des pensées étranges, et il aurait voulu prendre et les pensées, et le vent, et tout ce qu'il ressentait en lui pour en créer une forme...

Sans pourtant savoir ce qu'il voulait vraiment.

Sans pourtant vouloir ce qu'il savait vraiment...

* *
*

Est-il possible de parcourir un pays qui n'a pas de fin sans en apercevoir les fantômes ?

Combien vécurent avant celui qui marche ?

Quelle filiation, et à travers quels siècles, et en décomptant combien de millénaires, à partir d'un pays d'origine dont on ne sait pas le nom ?

Tous hommes d'abîmes, tous hommes de grandes glaces : cela n'est ni la légende, ni le récit du soir, mais une vérité que mille mammouths surgelés ne nieront point.

Et qu'a fait d'hommes chaque homme en cent ans ?

Et combien en mille ans ?

Et pourtant ils ne sont qu'une poignée, cela, Tayaout le sait : compter les chiens, compter ses gens, les uns plus nombreux déjà que les autres. Et les chiens sont-ils venus avec le premier homme ? Qui donc a tiré les charges ? Ont-ils, pas à pas, autrefois, tant parcouru les pierres qu'il s'en connaît, dans toutes les mémoires défuntes, chaque circonvolution et chaque traîtrise ? Ont-ils bu la même neige fondue ? Se peut-il aussi que la neige soit d'une même eau éternelle, qui vient, qui gît, qui part et qui revient un jour ? Y a-t-il renouvellement des collines, renouvellement des rocs, renouvellement des eaux ? Mais où donc iraient les eaux lasses, et que deviendraient l'effritement des rocs et la forme déchue des collines ?

Dis-moi, mon ombre, dans l'étendue bleue d'un jour de soleil polaire, es-tu de moi ou viens-tu des autres âges ?

Même si ta forme est la mienne et ta démarche semblable, n'es-tu pas ce qui reste des anciens venus avant moi ?

Dis-moi, pays...

Enseigne-moi, lumière.

Rassure-moi, vent bruissant.

Et pourtant, ils ne sont qu'une faible nation qui se dénombre. Tant à l'ouest, tant à l'est, différant à peine en leur idiome, et bien peu en leurs habitudes.

Peut-on venir de si loin dans les âges et n'être encore que quelques grains mouvants sur le plateau sans bornes d'un continent de froidure éternelle ?

(Car le mot pour dégel, en la langue de Tayaout, dit bien que rien vraiment ne se réchauffe et que la froideur sans fin est en surface comme une démangeaison de la peau de la terre, une brûlure sans plus, que dans la chair et le muscle du pays, au fond du sol guette le permafrost, éternellement semblable à lui-même, descendant creux dans les entrailles des plaines et des collines, que le vent de septembre aspirera de ses fonds et ramènera sur terre.)

Ne se produira-t-il donc jamais le dégel véritable, celui de toute la tissure des sols ? C'est comme si, le jour, un soleil réchauffait un peu les bêtes et les gens et donnait de la vie à des racines éphémères et presque sans sève et que, la nuit tombée, quand le soleil va se poster au-dessus de l'horizon et laisse empiéter le vent froid, tout concourait à rappeler que l'on était bien en Arctique et nulle part ailleurs, pour que personne des Inuit n'oublie sa lignée comme sa race.

Pays d'éternité.

Immense pays d'éternité, toute démesure des déchaînements où pourtant vivent des hommes dont Tayaout est issu et dont il est fier.

Des formes d'hommes, des formes du passé, une réalité qui monte en lui, petit à petit.

Et un désir qu'il ne comprend pas, de créer ces formes afin que si, un jour, les Inuit disparaissaient du

Sommet de la Terre, il en resterait ces images en gage de leurs hiers...

Mais comment le dire ?

Comment le faire ?

* *
*

Un matin, Tayaout tira sur un ours blanc, une bête énorme qui avait surgi d'entre deux dunes de neige.

Le pied de Tayaout glissa et l'ours, qui n'était que blessé, courut sur lui et lui déchira l'épaule.

Inexplicablement, la bête s'enfuit aussitôt sans achever l'homme. Peut-être sa blessure causait-elle une panique soudaine ? Qui peut savoir les ruses du destin ? (L'ours était-il totem ou tabou ancien, chargé de précise mission ?)

La bête s'enfuit et disparut.

Tayaout resta étendu dans la neige déjà rouge de son sang. Il était inconscient et rêva que son aïeul, le premier de tous, l'Inuk-Maître était venu à la nage à travers des eaux âcres, partant d'un pays de montagnes noires et de forêts sèches, pour aborder les terres rocheuses de l'Ouest.

Et cet aïeul avait taille de géant ; il était couvert de poils blancs et criait des mots d'une voix aigre et méchante.

Et il disait :

— Tu ne sauras jamais rien de moi !

Et il semblait au mourant que cet ancêtre était peut-être un ours et qu'il portait le même nom que lui, Tayaout. Et il cria à son tour à l'ancêtre, mais c'était dans une langue que nul ne comprenait, pas même ce géant blanc qui dansait de rage sur les galets givrés des rives de la mer russe...

Ensuite, il n'y eut plus rien que la fièvre, la douleur, le combat.

IV

Toute une nuit, Iriook rêva, elle aussi, à un ours blanc en forme d'homme, dont elle sut qu'il était un ancêtre et qui ragea contre elle et la menaça.

Elle se tenait sur le bord d'une rivière et la bête était venue, traversant à gué de ses grosses pattes velues. Figée, la femme ne pouvait fuir, retenue elle ne savait par quel pouvoir maléfique émanant de l'ennemi soudain apparu.

Et pourtant, elle sentait aussi qu'elle ne voulait pas fuir, qu'il lui fallait se soumettre à la bête.

(A cet être ? Pourquoi l'idée en elle, comme une sorte de certitude atavique, qu'il s'agissait d'un ancêtre ? Et d'un être comme elle, comme Agaguk... comme Tayaout ? La pensée lui vint que cela concernait Tayaout. Mais pourquoi l'ours dansait-il devant elle sur les pierres ? Pourquoi allait-il la dévorer ?)

Et pourquoi voyait-elle Tayaout gisant dans son sang ? Mais le rêve était d'été, de temps de dégel, et Tayaout gisait dans une épaisse neige blanche.

Elle s'éveilla en criant.

Agaguk dormait et ne l'entendit point.

Seule la jumelle s'éveilla aussi et pleura, mais

Iriook la rassura à voix basse et bientôt la petite se rendormit.

Quand Iriook se rendormit à son tour, elle ne revit pas son rêve, mais il lui vint des images anciennes, de l'enfance du petit, alors qu'il était leur seul enfant et qu'il jouait nu sur la mousse, en inventant des chasses imaginaires...

En ces temps-là, Niviaksiak tua un ours blanc sans d'abord s'être excusé par-devers les mânes de la bête.

On comprit bien, dans tout le campement, pourquoi Niviaksiak tomba raide mort, sans blessure et sans maladie. Les Blancs prétendirent que l'homme était mort d'une défaillance du coeur. Les Inuit ne dirent rien : ils savaient, eux, que les mânes d'une bête féroce ne pardonnent guère à qui ne leur rend aucun hommage avant d'abattre l'animal.

Du même coup, Iriook comprit aussi que dans le rêve, c'était un mauvais esprit, et non un ancêtre, et qu'il y avait là présage et avertissement.

Quelque part, sur la plaine de neige, Tayaout gisait, mort peut-être, dans la continuelle nuit arctique.

Mort ?

Peut-être.

Et peut-être vivant. Mais à peine, retenu dans le temps par un souffle, l'instant d'une pulsation. Quelque chose de ténu, un raccrochement... comment expliquer ? Si le coup de la bête avait été plus fort un peu, si le parka avait été moins résistant, si Tayaout lui-même n'avait pas été aussi jeune...

Il en faut peu.

Pour mourir et parfois aussi pour survivre. La frontière entre le fini et l'infini...

Tayaout avait survécu.

De la neige était tombée, l'avait enfoui, avait formé au-dessus de lui une sorte d'iglou naturel. Le froid

34

avait tari le sang. Et quelque chose, une flamme de vie au creux de l'humain, était lentement, patiemment remonté à la surface.

Et il vint un moment où Tayaout ouvrit les yeux, bougea, se reprit à respirer plus profondément, retrouva des restes de forces.

Alors il se dégagea de la neige, pansa tant bien que mal la blessure, put ériger un iglou et y guérir lentement, se nourrissant de viande séchée et gelée, buvant du thé qu'il se faisait deux fois le jour sur la petite lampe qu'il alimentait de gras de phoque.

Il connut là ses plus affreuses solitudes, mais n'en faiblit pas pour autant.

"Rien n'est plus fort que Tayaout."

Il ne le savait pas, mais il répétait là des mots que son père, bien avant lui, avait prononcés et qui avaient peut-être changé le cours de sa vie.

Au bout d'un mois, ses provisions étaient presque épuisées, ses chiens morts de faim, mais il pouvait bouger et marcher. Il ne paraissait de la blessure à l'épaule et à la poitrine qu'une cicatrice profonde, violacée, mais indolore.

Longuement, en réfléchissant devant le vacillement fumeux de la lampe, Tayaout supputa ses chances. La neige, dehors, était raidie, gelée, dure comme glace neuve. Partout, le long vent polaire y avait sculpté son grand oeuvre d'arabesques.

En se nourrissant de la chair gelée de ses chiens morts et si une neige neuve ne venait pas alourdir ses pas, Tayaout pourrait peut-être regagner un poste quelconque. Où il était revenu, aux rives de la Terre de Baffin, ne pourrait-il pas rallier Cape Dorset ? Il y trouverait, comme à Povungnituk, comme à Port Harrison, comme à Koartuk, des missions, un magasin de traite, le radiotéléphone, une unité sanitaire.

Il y trouverait surtout de quoi repartir vers ses errances.

Il marcha dix-huit jours, rencontra quatre Inuit en voyage de chasse, troqua de l'argent, des balles et trois peaux de renard bleu contre cinq chiens, décida de ne pas aller à Cape Dorset, puisqu'il n'avait plus besoin de rien, et revint sur ses pas, précédé des chiens qui traçaient la route.

Suivant ses propres pistes, et obéissant aussi à son infaillible instinct, en seize jours cette fois, il retrouva le traîneau abandonné, ce qui restait de fourniment, d'autres balles et ses fourrures.

Il y attela les chiens et continua.

Tel qu'il était parti.

Et en oubliant ce qui venait de se passer.

Sauf une chose, qui lui revint de son délire : même s'il lui arrivait de ne plus croire aux bons et aux mauvais esprits, n'était-ce pas ce que l'ours dans le rêve, celui qu'il avait pris pour son ancêtre, avait tenté de lui dire ? Que l'on ne lance pas ainsi des balles à qui descend de l'Ours-Maître, sans d'abord invoquer l'indulgence ? Et que la propitiation est nécessaire ?

Etait-ce donc plus présage que science ?

"Désormais", songea Tayaout, "contre les ours, je ferai les signes et je dirai les mots. Ainsi mes balles toucheront juste..."

Il lui vint une brève nostalgie de sa mère Iriook ; il désira la revoir, lui parler. L'espace d'un seul instant. Et il se demanda bien ce que venait faire cette pensée en lui.

V

Y a-t-il, dans cet Arctique monotone et mystérieux, quelque téléphonie inconnue des présages comme des nouvelles ? Est-ce un courant filant comme l'éclair à travers les glaces et les neiges ? Ou un vent sans nom, jamais aperçu et bizarrement ressenti, portant en lui la relation des événements ou la nature des prémonitions ?

A partir de l'instant de son rêve troublant, Iriook fut convaincue que dans les lointains immenses où voyageait Tayaout, quelque chose s'était passé, quelque chose de maléfique, dont cette mystérieuse transmigration des présages l'avait avertie.

Elle en fut d'autant plus convaincue dans les jours qui suivirent, lorsque d'autres femmes, Tiguk, Kriliak, Siksik et Arnaoyok, lui racontèrent des rêves similaires. Dans leur propre monde extra-sensoriel, elles aussi avaient été averties d'un événement.

Longuement, ces jours-là, pendant que les hommes étaient au phoque, ou au poisson, ou à l'ours, les femmes, accroupies dans l'iglou d'Iriook, devisèrent de ces rêves étranges et en tirèrent d'interminables et tortueuses déductions.

Pourtant, dans l'esprit d'Iriook, il n'y avait qu'une conclusion possible : quelque part là-bas, plus haut, vers le dos du monde où il vivait, son fils Tayaout avait été en proie à un maléfice et elle le penserait jusqu'à preuve du contraire.

— Parce qu'il peut revenir, dit-elle aux autres.

— On n'y peut rien, firent-elles.

Mais Iriook insista :

— Parce qu'il peut revenir.

Fatalistes, n'extériorisant que rarement entre elles une émotion, elles se renfrognèrent, fumant à petites bouffées, buvant le thé sans arrêt.

Il en fut ainsi tout ce premier jour, à la longueur des jours suivants, et durant toute une semaine.

Mâchant les peaux pour former le pied des bottes de caribou, les *kamik,* fumant sans arrêt et consommant bolée après bolée de thé fade et insipide sans pour autant en arriver à la solution mère de tous les songes, à la réponse à toute question. Que disait-il, cet homme-ours dansant sur des galets et vociférant en une langue inconnue ? A qui s'adressait-il ? A Iriook ? Ou à toutes les femmes du campement, puisque plusieurs d'entre elles avaient aperçu le même rêve dans leur sommeil ?

A la fin, Iriook disait :

— Il reviendra.

Elle parlait de Tayaout, de personne d'autre ; il apparaîtrait un jour, il serait fort comme dix des meilleurs chasseurs, il serait un homme, il serait L'HOMME, l'Inuk. Elle le murmurait en psalmodie, dans sa langue gutturale mais infiniment expressive.

Et si parfois les autres femmes dans l'iglou fumeux approuvaient en murmurant un constant :

— A'ya, a'ya, a'ya...

38

... il fallait bien croire qu'en leur for intérieur elles croyaient à un présage plus fort, plus universel, qui ne concernait pas seulement Tayaout, mais tous les autres hommes, et les femmes, et les enfants de la tribu.

Au moment de cette étrange palabre, que faisait par exemple Soksak, parti à l'ours ?

Que faisait Tugugak, aventuré sur les glaces à la recherche du phoque ?

Et Alikanek, près des trous où il taquinait le poisson sous la glace ?

Reviendraient-ils tous sains et saufs, le soir venu ? Le présage de l'ours dansant ne désignait-il que Tayaout, depuis longtemps parti, donc sans importance pour elles, ou d'autres hommes, tous les hommes de la tribu ?

Ne devait-on pas s'inquiéter ?

Mais on ne s'inquiétait pas à outrance, ce n'était pas dans la nature des choses. Le danger est perpétuel : les présages n'apprennent rien de neuf. On en avait fait, pour quelques jours, un sujet de conversation nouveau, excitant, passionnant même, si un tel mot s'applique à des femmes Inuit, sans plus.

Il n'y avait en somme qu'Iriook pour en avoir tiré de l'angoisse, encore qu'elle l'ait gardée secrète en elle-même, n'en révélant que des bribes.

Et ne disant, inlassablement, que cette phrase gravée en elle, qu'elle savait être une vérité :

— Parce qu'il reviendra...

* *
*

39

Il est difficile à un Esquimau d'errer seul sur les plaines de neige.

Ses tâches de chaque jour sont dures, elles exigent des forces propres à deux, à trois hommes. Le solitaire, chez les Inuit, est voué au même sort que le solitaire chez les loups, une mort probable au bout de son épuisement. L'Inuk aura tout courage, et toute grâce même, qu'il survivra peut-être un peu plus longtemps, mais viendra le jour où, rareté de phoques, ours blancs trop rusés, nul autre gibier en vue, alors l'Inuk avec son courage, l'Inuk avec sa grâce périra.

Tayaout le savait peut-être.

Même, il le savait sûrement. Les récits des aînés, à la veillée des iglous, n'en avaient jamais dit autrement. Seul, c'est périr. A deux. à trois, à plusieurs, c'est survivre en s'entrépaulant. Puisque c'est ainsi la communauté de vie. (La chasse est pour tous. Les prises sont partagées, l'assouvissement de la faim se fait en groupe. Le cri de la femme devant la marmite parée au festin, se reconnaît d'un iglou à l'autre, d'une tente à l'autre : "J'ai du gelé !", ou encore, "J'ai du cru !", ou même, "J'ai du cuit !" Il n'en faut pas plus pour que tous se rassemblent et plongent jusqu'à satiété les mains dans le bouillon où mijotent des viandes de phoque, d'ours ou de caribou. Ou toutes à la fois.)

Et cela les rend solidaires : pour survivre.

L'aventure entreprise par Tayaout, ce refuge en son seul à seul à travers la toundra comme à travers la banquise, c'était un coup de jeunesse, un assaut. Peut-être aussi un besoin d'entendre sans témoins ses propres voix. S'il faisait l'étape délibérément, s'il reprenait la même piste après une mésaventure où il aurait pu mourir, aurait-il pu seulement en expliquer la raison et le pourquoi ?

Sauf que cela répondait à un besoin, que ce besoin,

son père Agaguk l'avait déjà ressenti. Pour d'autres raisons, peut-être, cela Tayaout n'aurait pu le dire. Et sauf aussi que l'homme Agaguk n'était pas parti seul, mais avec sa femme Iriook. Cela comptait, cela devait compter, c'était une différence des générations.

Tayaout se voyait plus téméraire ; il l'avait voulu ainsi. Le défi n'était pas plus déraisonnable : avec le temps les fusils étaient meilleurs, grâce aux Blancs, autant l'avouer, les vêtements étaient plus chauds et moins lourds, les traîneaux mieux construits, les outils plus efficaces.

Le seul fait que le traîneau soit boulonné, par exemple, à gros boulons ; que le fusil soit muni d'un viseur télescopique, pourvoyait déjà à deux difficultés, deux risques, deux dangers. On pouvait courir plus vite, en glace plus raboteuse, avec un tel traîneau ; il ne risquait pas de se démantibuler au premier accident de terrain.

Quant au viseur télescopique de la carabine, il garantissait un coup plus sûr, plus loin, avec un moindre risque de déranger la bête en l'approchant trop, pour la voir ensuite fuir irrémédiablement.

Il n'y avait donc pas plus de témérité, peut-être, dans le départ de Tayaout, que dans celui d'Agaguk autrefois.

Seule la raison profonde différait : Agaguk avait besoin de s'éloigner des siens pour se réaliser ; Tayaout, lui, ressentait des choses inconnues de tous, troublantes, et il avait surtout besoin du silence, il avait besoin de cette sorte de retraite au loin, de fuite vers la sorte de solitude qui permet à un homme de se trouver face à lui-même.

Il savait bien qu'un jour, ou il périrait bêtement, faute d'avoir eu quelqu'un à ses côtés pour l'aider à se dépêtrer du danger, ou alors il pourrait revenir au groupe, reprendre sa place, montrer son visage nouveau d'homme accompli. Il chercherait femme, il aurait son iglou ; en somme, sa vie.

Mais d'abord, le grand périple.

Et s'il y mourait, ce serait bien tant pis : dès l'instant où il avait ressenti le besoin de partir, il n'avait en lui que cette idée, plus puissante que toutes, impérieuse, péremptoire. Il était parti, parce qu'il n'aurait pu faire autrement.

* *
*

Tayaout courut les pistes. Les nouveaux chiens étaient forts, le chien de tête supérieurement habile à trouver la bonne neige, à flairer les sentiers naturels entre les amoncellements, là où le pays était raboteux.

Vent derrière, au soleil de l'entre-saison, dans la mi-lumière blafarde qui serait bientôt la pénombre dorée et bleue, Tayaout poursuivit le pèlerinage.

Il n'avait de but que la présence des bêtes. Plus au nord pour l'ours, vers le sud pour le lièvre et le renard, au ras des eaux libres, là où elles se trouvaient, pour le phoque. Mais d'abord ce voyage continuel, cette course à valeur d'infini qu'il perpétue jour après jour...

Savait-il seulement le nom des rocs ou des péninsules ?

Aurait-il pu désigner les îles de l'archipel ou les terres continentales qu'il foula ?

Qu'importent vocables et appellations, à quoi bon nommer ce que l'on aborde un soir pour l'abandonner le lendemain ?

L'émigrant aperçoit-il l'itinéraire, quand il ignore encore où sera la terre d'exil ?

Savait-il seulement, cet Inuk enfant, fleur d'homme à point d'éclosion, où le menaient ses pas ? Il n'invoquait pas l'horizon, il n'en désirait certes point l'emplacement : il cheminait jour après jour, s'interrogeant à peine, ne reconnaissant que des pistes à traquer, n'apercevant que les bêtes à tuer, vivant et respirant heure par heure et pour chacune de ces heures seulement, méprisant l'heure passée, ignorant l'heure à venir.

S'il construisait un iglou du soir, c'était d'être las et de vouloir dormir. Lorsqu'il quittait cet iglou, c'est qu'il était disposé à continuer de nouveau.

Ainsi passèrent les mois.

Ainsi passa une année entière.

Il ne connut nulle bonne encontre, pas plus de malencontre. Seulement l'air et la lumière, les vents et la nuit polaire ; seulement les blizzards qu'il laissa passer blotti sous l'iglou ; seulement les giboulées, les dégels imprévus, les froids d'abîmes.

Mais nul homme.

Et nulle femme.

Du bas versant au haut versant de l'année, son unique solitude et la seule joie sourde et rauque de mâle qui a survécu et pourra, si la terre accorde ses miséricordes et le vent sa pitié, escalader les autres versants des autres années encore.

* *
*

A-t-il deviné, l'errant Tayaout qui ne désigne point ses itinéraires, qu'à l'issue des voyages épie un destin ?

43

A-t-il compris que tout cela ne pourra pas être en vain ?

Qu'il existe un doigt pointé vers lui ?

Et que s'il n'est qu'humble et informe, homme de toutes les taïgas et de toutes les steppes, de toutes les toundras et de toutes les banquises ; s'il est errant des glaces et contemplateur d'Etoile mère ; s'il n'a que des gestes d'habitude et peu de philosophie, il n'en est pas moins l'éclaireur des hordes et le continuateur des Maîtres du Pôle, et, par-dessus tout, leur émissaire auprès des siècles... ?

Que n'a-t-il pas compris dans son ignorance ?

S'il marche, il sent confusément que ses pas le mènent au terme élu, dont il n'a ni souvenance ni conscience.

Il a fallu des pierres...

Mais avant, un passage du sommet de la banquise aux eaux pontées de glace. L'abordage sur les terres continentales. La retrouvaille qu'il avait sentie nécessaire, avec des caps et des baies, des estuaires et des péninsules.

Chantaient en lui des noms, cette fois, et le désir d'apercevoir les sols ainsi nommés.

Consciemment, il songeait au poisson : l'omble à chair rosée, les larges esturgeons à tête lamelée, les soles paresseuses. Il avait aussi songé à des bêtes basses, richement mises, bonnes pelleteries d'échange. A l'excursion à faire à un poste où reconstituer les provisions de thé, de cartouches, d'allumettes, de mèche à lampe.

Il fallait des boulons pour le traîneau, des oeillets de métal pour le harnachement des chiens ; il fallait du tabac.

Et surtout une pipe pour fumer ce tabac, une pipe au fourneau balourd, creux, solide, au bouquin de corne blanche. Il avait vu une de ces pipes un jour ; dans la solitude de l'iglou, il y avait souvent repensé. Ce serait une bonne compagne. Il s'adosserait confortablement sous le dôme de neige, contre une peau à poil dehors, les jambes étendues et croisées, devant lui. A la petite lueur de la lampe, même si le vent rageait dans la nuit, il serait bien, il serait au chaud, il fumerait lentement et longuement avant de s'endormir.

Il battit chemin, donc, obliqua et rejoignit le haut Labrador.

(Et il ne savait jusqu'à quelle profondeur en lui atteindrait la sensation d'immensité, ni ce qu'elle apporterait de la présence des mondes aperçus dans chaque soir clair. Il ne savait rien, vraiment, et pressentait tout, ressentait le trouble qui ne se dit point, le trouble qui n'a de nom ni de lieu. Il savait qu'au-delà de cette eau, oui, bien sûr, balles et pelleteries, sel et tabac, et pipe... Mais quelle autre attirance, plus forte, plus péremptoire encore, allant le quérir jusqu'aux entrailles... ? De devoir être là, sans coup férir, et nécessairement ?)

C'est à Uivâluk qu'il aborda.

Un grand cap regardant le large de la mer.

Plus loin un peu, puisque les rives étaient perpendiculaires et qu'il n'aurait pu les escalader, il trouva un autre sol semblant avoir été fait à sa bonne guise. Une péninsule, une langue de terre, de roc et de sable, terminée par un cap à son tour, à peine une avancée de belle forme, plaisante à voir. Il en savait le nom, qui la décrit bien en langue esquimaude : *Okhakh,* signifiant *"Où les Inuit parlent comme des hommes"* (alors qu'à Naïn ils parlent comme des enfants, et comme des Blancs à Hopedale). Cet endroit-là se nommait Uivârsuk, et Tayaout y établit la halte.

Il n'allait pas rejoindre les bandes plus haut, ou

celles plus bas, le long du littoral. Il se sentait bien, ici, et saurait préparer une autre étape en silence.

Le dégel s'annonça et la mer caressa les rives, puis les assaillit comme pour les drosser et bouscula les galets.

"C'est mon pays", constata Tayaout. "J'ai besoin de la mer."

Il explora ses lieux : Ukaleq à gauche et Ukalertût à droite. Puis il remonta, vit cette fois Uivakulluk, Uivaq, et monta même jusqu'à Tuperviksoaq, un large plain de sable fin et de galets ronds, protégé du vent par une falaise basse en demi-cercle. Ici, — et c'est ce que l'appellation esquimaude signifie — c'est l'endroit où planter les tentes. Cela dit toutes les tentes d'une bande, près d'un ruisseau à l'eau bonne, propre et douce, qui vient des arrière-pays et meurt à la mer au dernier déclin de la grève. On y peut vivre bien, sur ses bords, en cet endroit, à portée de poisson, à portée de bêtes basses, à portée de nez cette fois des caribous voisins à l'arrière, dans les collines, et tout aussi bien abrité des vents d'ouest et de nord-ouest. On eût dit une aiguade judicieusement conçue par Dieu dans le maître plan des actes de l'homme.

(Au temps des vents du nord, on le sait bien, le refuge à rallier est en amont du ruisseau, vers sa source, au bord d'un lac entouré, où cette fois l'iglou sera protégé de toute part, mais où le poisson, la bête fourrée et le caribou d'hiver seront plus rares...)

Il n'y avait personne en cet endroit et Tayaout y fit campement durant deux jours, capturant des visons noirs, des renards, une loutre. C'était encore bon temps, le poil des prises luisait ; il y aurait de la pelleterie de troc et des carcasses pour les chiens.

Pour son usage à lui, Tayaout s'en tint à des réserves de baleine fumée, mais il revint prestement vers le bas du littoral, retrouva un endroit qu'au poste du Nouveau-Québec on avait nommé Ukjuktôq. Là, folâtraient un grand nombre de phoques barbus. Il en tua trois, dans les eaux calmes et bien dirigées d'un estuaire. Le courant les lui mena jusqu'aux pieds, à l'avancée de basalte d'un petit cap formant portail à la baie vers l'ouest.

Il tua distraitement.

Il dépeça distraitement.

Il fut songeur toute cette soirée, toute la nuit, et ne comprit qu'au matin, alors qu'il avait mal dormi et rêvé à des hommes de pierre qui pourchassaient des étoiles à queue de renard. Il revint donc sur ses pas, ayant caché la viande et la peau des phoques sur un tréteau de bois de grève qui rendait cette richesse inaccessible aux bêtes prédatrices.

Il s'arrêta à Ukusiksalik, qui est une longue île basse.

Il avait dû y accéder à gué; en venant, il l'avait traversée sur sa longueur. Ici, la mer embarquait à tous degrés, rentrée, soumise, rétrécie et résolue, pour s'aller détendre à plat dans un lagon de basse eau.

Et il avait aperçu la pierre.

Il avait aperçu la stéatite.

N'était-ce pas la pierre ancienne qu'autrefois les Inuit formaient patiemment en lampes immortelles, dont jamais la flamme ne s'éteignait? Cette flamme qu'on portait d'une halte à l'autre dans le pot de même pierre, qu'il était du devoir de toute femme de garder comme sa vie, comme ses yeux, comme le coeur battant en elle, comme la langue dans sa bouche et la vie croissant dans ses entrailles?

La pierre ancienne, disparue, retrouvée parfois par les hordes errantes, et perdue de nouveau?

Celle-là, aux veinures blanches, à la masse verte

comme mer de juillet, la pierre de mer, venue des esprits habitant les fonds, ceux régnant sur les phoques et les baleines, régnant aussi sur les ours, et régnant même sur les Inuit dans leur éternelle pérégrination ?

Qu'en un jour antique, pris de pitié, les génies avaient rejetée sur les archipels ; que chaque Inuk y trouve la substance friable mais compacte, ductile aussi, pour qui s'adonne à la former à l'aide d'outils de silex ou de basalte...

Il ne se voyait plus, dans les bandes contemporaines, de ces objets de pierre divine.

Il ne se trouvait plus de pierre.

Mais la cherchait-on vraiment ?

Parfois, les Anciens des tribus, ceux qui ont la mémoire et la continuation des récits dans leur tête, sculptaient à même l'ivoire des morses et des phoques, ou à même les os de baleine. Mais rien de ce qu'ils créaient ainsi, si utile que ce fût, n'avait la puissance antique des récipients et des lampes en pierre divine...

(Et aussi la forme des génies du rêve, l'objet de propitiation, où l'esprit est figuré, où il est rendu à une forme, oiseau à tête d'homme, poisson à membres humains, phoque aux ailes de ptarmigan... résidus inquiétants d'un passé qui hantait Tayaout...)

Avait-il donc été choisi pour retrouver la pierre verte de la mer ?

Et d'en retrouver sur cette île de ces rocs, en si grand nombre que désormais l'on puisse dans tous les iglous et sous toutes les tentes, aux mains de tous les Inuit former à nouveau les idoles ?

Et ramener aux Esquimaux de toute géographie et de tout dialecte, la possession ancienne de la fierté et du recommencement?

48

Etait-il, lui, Tayaout, l'Inuk à jamais désigné, qui était né pour cet acte et l'avait accompli, puisqu'il avait été guidé à travers le Pôle et tous les Arctiques, justement là où gisaient, inconnues, les innombrables pierres de mer ?

Les pierres divines de la propitiation et de l'hommage... ?

VI

Pays, bas, rocailleux, morne souvent, gris, parfois
bleu de ses granits, noir de ses basaltes, rarement
joyeux : des mousses vert sombre, des lichens, des
broussailles qui n'arrivent pas à fleurir.

Derrière les rives, hors la portée de senteur de
mer, dans la contrée des vents arrachants, accidenté
sans être montagneux — si, parfois une cîme, rien, forme de montagne et allure fière : (au pays des nains,
les géants sont des princes ?) mais à peine cent mètres,
deux cents, qui sait, qui veut savoir ? — vallons d'eau,
collines chauves, ici et là des arbres nains, une végé-
tation qui se dissimule à ras de sol. Terre de Caïn.

Terre maudite, ont dit les Blancs.

Terre de mes aïeux, a dit l'Inuk, terre d'abondance,
pour qui s'est nourri des millénaires durant sur la
banquise. Il parle de ses aïeux, l'Inuk, en songeant
qu'ils n'ont pas dû connaître tôt cet endroit où manger
le poisson l'année durant, à ne creuser qu'un trou
dans une glace presque mince et appâter sans effort.

Et tous ces caribous qui errent ?

Et chaque vison, chaque belette, chaque loutre,
chaque renard ? Lorsqu'il n'y a plus de doigts, et plus

tard, plus de chiffres en une langue pour dénombrer les richesses, n'est-ce pas une contrée généreuse que celle-là ?

Mais morne.

(L'Inuk n'a connu que la banquise lisse et plane ; il appelle respectueusement montagne l'endroit Niaqun-gurâk, une colline de deux cents mètres. Et qui lui bloque le ciel parfois, l'horizon toujours, alors que faire sinon respecter cette muraille entre lui et l'Etoile ?)

Un large pays, d'est en ouest, une lisière seulement, du nord au sud : après, les arbres, hautes plantes touffues et inhospitalières où l'Inuk se perdra sûrement s'il s'y aventure.

Pays aussi d'un vent étrange, inaccoutumé, qui effraie l'Esquimau nouveau venu, car il tressaute, il danse, ce vent, il se bute sur les collines et bascule dans les vallons : il a perdu sa grande voix des hauteurs planes du Pôle où il gémit à travers le nouement des méridiens. Ici, il bruit, siffle, souffle, ahane, claque à droite, gronde un peu à gauche, se tortille en fonçant, s'enroule et se désespère de ne plus retrouver ses longs et sereins chemins d'univers où il peut hardiment se ruer sans obstacles.

Ici, il est à la merci du pays qui l'empêtre dans quelque filet dont il a peine à sortir.

Alors, l'Inuk, venu de si loin, d'un pays si plat, où le vent a telle maîtrise sans brisure, s'étonne de trouver soudain dans ses entours, un élément étranger, terrifiant parfois, surtout imprévisible. Il cherche l'abri, il craint parfois ce vent, il le hait un peu, et croit qu'il lui faudra peut-être une demi-vie pour s'y habituer.

Après, mais beaucoup plus tard, il ne l'entend plus, et il peut même en rire : mais il sait au fond de lui-même qu'une telle force, frustrée de telle façon, possède en elle des traîtrises hypocrites. Il a appris la tolérance mais non l'imprudence.

(Qu'il est loin le temps des poussées immenses sur la banquise, de la force constante, dont il sait toute la fidélité, dont il connaît la franchise. Comment donc ne pas être terrifié lorsqu'un vent coulis se vrille soudain en une force qui extirpe les arbres nains, arrache les tentes, renverse à la mer les canots et abat les estacades de pilotis où sont garées les provisions de conserve...)

Pour les Blancs : pays d'épouvante, à la fin.

Pour l'Inuk, pays de meilleure survie, malgré tout.

Au lé des rocs, Tayaout apprend des moeurs nouvelles et se réhabitue à l'abondance.

Et dans ses mains calleuses déjà, il lui arrive de tenir des heures durant un bloc de la pierre divine, la verte pierre de mer où, lui semble-t-il, dorment les génies oubliés de ses rites et de sa religion.

Il est tard et le vent s'agite et s'acharne en exclamations brèves contre les falaises et les récifs, et la mer attaque la rive à longs coups bas et lents, retirés aussitôt que donnés. Dans la tente, devant la lampe — de métal celle-là et venue des Blancs — Tayaout examine longtemps la pierre et y sent une âme qui se glisse en lui par les doigts, parle et implore, promet et revendique.

Il en sera ainsi un an durant et Tayaout, délivré de toute inquiétude, habitant un site protégé sous une tente d'été ou un iglou d'hiver où il pourra sereinement survivre sans effort, le ventre plein, contemplera la pierre et laissera entrer en lui une connaissance neuve, millénaire, provenant non plus d'ancêtres seuls, mais d'esprits qui parcourent l'espace du ciel, les masses neigeuses et le fond des mers, qui se remettent lentement à lui dicter l'ordre nouveau de sa vie.

Comme il en a été de ses angoisses.

Des troublantes montées sans nom à travers sa chair.

Des pensées pour lesquelles il n'a pas trouvé de mots.

Et c'est désormais la pierre qui s'adresse à lui et va écarter toutes les brumes, inventer tous les mots neufs dont il pourra user.

Et fixer à jamais le destin pour lequel il est venu sur terre, a parcouru les contrées anciennes pour se trouver aujourd'hui aux rives de la mer, dans le pays des rocs gris et de la pierre divine.

Et qu'il devra transmettre à ceux de son sang et de son temps ?

Sans faillir ?

*   *
*

— Tu fis un jour, dit Iriook à Agaguk, dans une pierre verte que tu trouvas près de notre tente, une figure d'homme-enfant que tu nommas Tayaout. Parce qu'il est dit dans les récits que ces figures de pierre sont propices aux esprits, pourquoi n'en fais-tu pas une autre, cette fois pour apprendre où donc va Tayaout qu'il ne repasse jamais plus par nos contrées ?

C'était un long discours, qu'elle avait depuis longtemps médité.

Alors Agaguk inclina la tête et fit :

— A'ya... Savoir où trouver la pierre...

— Faut-il que ce soit de même pierre ?

L'Inuk inclina de nouveau la tête.

— Ce que nous avons gravé pendant tant d'années autrefois, moi et tous ceux avant moi, si ce n'était pas de cette pierre, n'était que pour l'utilité de tous les jours. Mais c'est de la pierre verte seule que nous pouvons former la lampe éternelle qui jamais ne s'usera, ni ne se consumera...

Il y avait, chez des Anciens à Povungnituk et dans d'autres bandes, de ces lampes antiques.

Et il était vrai que jamais elles ne se consumaient, et qu'on les disait sculptées depuis cent et mille saisons...

— La pierre magique, dit Iriook, c'est celle-là ?

— La pierre des Esprits, dit Agaguk.

La femme fut songeuse :

— Parce que si tu formais une autre image d'esprit, Tayaout viendrait.

— Il n'y a plus de pierre verte, dit Agaguk.

— Là-bas, tu en trouverais, où nous étions.

— Il n'y en avait qu'une.

— Si tu cherchais ailleurs, Tayaout à la fin reviendrait.

— Il n'y en a plus, dit Agaguk d'un ton bourru. Il n'y en a plus ici, ou là, et partout où l'on cherche. Les Esprits ont repris la pierre, et l'ont rejetée au fond de la mer, et la Femme des fonds, qui protège les phoques, ne la renverra pas...

Il se roula sur le côté, prit sa place de sommeil sur le banc de l'iglou :

— Il n'y aura plus jamais de pierre magique, dit-il. C'est fini pour nous. Il est trop tard.

VII

Du temps de sa jeunesse, avant qu'il ne quitte la bande, Agaguk avait eu connaissance de ces sculptures que des hommes plus vieux gardaient dans l'iglou.

Komayak possédait deux formes humaines, au visage d'oiseau, taillées dans l'ivoire d'une défense de morse.

Anguyak possédait un objet de pierre verte, qui représentait un homme aussi, mais muni d'ailes, et qui semblait s'élancer dans les airs. Il ignorait d'où venait cette sculpture...

Nakimayak avait lui-même taillé un ours blanc dressé sur ses pattes d'arrière. Plus tard, Nakimayak s'était enfui avec une femme appartenant à une autre bande. Il avait laissé derrière cette figure de l'ours, que sa femme alla jeter dans les flots un jour de colère. L'on apprit dans les mois suivants que Nakimayak avait été lacéré à mort par un ours, en traversant Ellesmere pour se rendre sur la Banquise.

Soksak tenait de son père, et celui-ci de son père à lui, une lourde sculpture dans la pierre divine, décrivant un combat entre un homme et deux loups à mains humaines. Soksak prétendait qu'en possédant cet objet, il se garantissait contre tous les loups et le mauvais génie des loups. L'Inuk était reconnu comme le plus grand chasseur de loups des contrées de la Baleine, plus au sud, au rétréci de la Grande Baie. Agaguk ne pouvait douter que la sculpture eût en effet de grands pouvoirs.

Selon les vieux, autrefois tous les Inuit possédaient de telles amulettes, sculptées par eux-mêmes, avec des outils primitifs, dans la pierre verte aux marbrures blanches, qui se trouvait partout sur le passage des hordes.

L'Ancien, Alikanek, affirmait qu'un jour, les Inuit s'étant depuis trop longtemps moqués des esprits, ceux-ci avaient confisqué toute la pierre et que s'il ne s'en trouvait plus dans tout l'Arctique, les bandes n'avaient qu'à s'en prendre à elles-mêmes.

On savait toutefois que, depuis des millénaires, on avait façonné des ustensiles et des objets, tant dans cette pierre propice que dans les os de baleine, l'ivoire de morse ou la corne de caribou. Aujourd'hui, les Blancs offraient tant de choses contre les pelleteries apportées par les Inuit que les arts anciens s'étaient perdus.

Et surtout l'usage de la pierre verte qui ne périssait jamais, ne se craquelait jamais, ne se consumait pas plus, et dans laquelle il était si facile de façonner des objets d'usage et aussi des amulettes propitiatoires.

D'abord celles-là.

Personne ne cherchait plus les dépôts de stéatite que l'on croyait subtilisés par les esprits : peu à peu l'art de façonner des objets se perdit. Et au moment où, sur une île longue et basse de la côte du Labrador, Tayaout découvrait cent ans plus tard un immense dépôt de pierre de mer, peu d'Inuit espéraient vraiment

58

retrouver et la pierre et la force incantatoire des objets qu'on y pouvait sculpter.

Non plus qu'on pouvait se douter que, dans le silence désert des rives tourmentées, tout là-haut, à Ukusiksalik, un jeune Inuk presque sans nom dans les tribus, homme à peine prouvé à la face des Anciens, allait peut-être ramener aux mains habiles de tous les siens, et dans leur esprit, l'art antique de la pierre des génies du ciel, de la glace et des eaux.

— Il reviendra, disait Iriook.

"Je l'attends," se disait-elle, honteuse de ce sentiment inhabituel chez les siens qui la faisait tant désirer le retour de son fils, comme si elle pressentait pour lui un grand rôle dans la tribu. "Il reviendra la tête haute, comme un homme."

Même Agaguk, par il ne savait quel sourd pressentiment en lui, se surprenait parfois à songer qu'il serait bon de voir apparaître celui qui les avait quittés, qui errait si loin dans les géographies du Nord, de qui on n'avait aucune nouvelle.

* *
*

Tayaout, au loin, réfléchissait péniblement.

Passant le plus long de son temps assis, tenant entre les mains un bloc de la pierre verte, il réfléchissait.

Et ce n'était pas facile, dans son cerveau primitif, de départager tout ce qui l'assaillait.

Bien sûr, nombre de choses étaient désormais plus claires et précises. Il comprenait mieux les rêves de la nuit ou les émois du jour. Mais il lui fallut toutes les semaines de l'été qui suivit les premiers dégels, alors qu'il dut se construire un kayak d'os de baleine et de peau pour rejoindre l'île à la pierre, avant de comprendre enfin ce qui était à faire.

Il fouilla les surfaces, chercha et tria des pierres. Sans même s'en douter, il faisait des gestes issus de longs atavismes, sachant choisir d'instinct la forme de pierre, sa mesure aussi, et même sa texture et sa couleur, afin que, s'il le fallait, des doigts patients y puissent arracher une forme selon la tradition.

Quand vinrent les premiers vents bas, les vents de froidure précurseurs du long hiver, Tayaout avait refourbi le traîneau où il pourrait commencer à entasser la nourriture des chiens pour le long voyage, de même que ses propres aliments.

Ces derniers temps, il avait moins médité, puisqu'il comprenait désormais ses buts. Plutôt, il avait trappé pour augmenter le ballot de pelleteries ; il avait chassé aussi, et fumé de la viande. Et il rapporterait aussi avec lui trois peaux vertes de caribou et une trentaine de pierres provenant de l'île Ukusiksalik.

Pendant les derniers jours, avant que ne vienne la neige continuelle, il s'acharna à trapper encore davantage, prévoyant qu'il aurait besoin de toute la richesse de troc possible, si l'idée en lui valait qu'il s'y attarde. Car alors, il faudrait survivre longtemps sans pouvoir chasser à sa guise...

Vinrent les premiers tourbillons blancs.

Puis un blizzard d'inauguration, qui dura peu d'heures mais jeta déjà une couche de neige où pouvoir voyager. Tayaout attendit encore : il fallait que le voyage puisse se faire sans difficulté, et prestement. Les chiens étaient gras, ils étaient reposés, ils auraient plein ventre à se nourrir pendant les quinze jours de l'itinéraire. Tayaout lui-même n'aurait pas à se pré-

occuper de chasser en chemin ; il aurait sur son traîneau du fumé et du gelé plus qu'il n'en fallait.

Il partit un matin de fin septembre, sûr de la profondeur de la neige, sûr des glaces sur les rivières, remonta le premier cours d'eau venu, s'attacha à l'Etoile
et prit ses nords avant l'aube de chaque matin :
Povungnituk serait la dernière étape.

* *
*

Il se produisit dans toute la bande à Povungnituk
une fébrilité que personne ne put s'expliquer.

D'aucuns crurent même à un mauvais augure.

D'autres, à une invasion des esprits.

Un groupe des hommes alla trouver l'Aveugle, qui
était aussi le chamane, son rôle caché, dont personne
ne discutait. Ce que l'on cherchait surtout chez lui,
c'était la sagesse...

— Tu le sais, toi, ce qui nous agite.

Mais le grand vieillard mince aux yeux éteints secoua la tête.

— Cela vient de partout, nous ne pouvons savoir.

— Toi, tu le sais.

— Non.

— Si tu le veux, tu peux le savoir.

L'homme joignit les mains sur ses genoux, mais
resta silencieux.

— Nos femmes et nous-mêmes, dit Agaguk, qui
était le porte-parole, nous ne pouvons rester en place.
Nous sommes inquiets, et pourtant c'est comme si demain il y aurait des chasses merveilleuses.

— Je sais, dit l'Aveugle. Je me sens tout aussi troublé.

Ils fumèrent tous en silence et Ayallik dit :

— Est-ce que c'est un présage ?

— Il y a beaucoup de présages.

— Est-ce que c'est un mauvais présage ?

— Je vous le dis, répondit le chamane, je ne le sais pas.

— Tu es plus vieux que nous, dit Agaguk. Tes yeux ne voient pas. Tu peux percevoir en toi des choses que nous ignorons. Nous te nommons chamane...

— Il ne faut pas le dire.

— C'est ton nom depuis longtemps.

— Il ne faut pas le dire.

— Nous avons peur, aujourd'hui...

— La peur est un mal.

— Je n'ai pas peur, dit Ayallik. Moi, il me semble que j'espère.

— En quoi ? demanda Tudlik.

— Quelque chose qui va se produire bientôt, demain peut-être.

— La peur et l'espoir, ce sont des angoisses, dit l'Aveugle, de l'attente et de l'ignorance. Il faut vivre jour par jour seulement. Le phoque du mois prochain n'est pas encore tué. Le phoque d'hier est déjà mangé.

Ils n'en tirèrent rien de plus.

Mais l'agitation continua : on voulait mordre, chacun imaginait des songes, s'inventait des présages, épiait fébrilement les nervures du ciel, la coruscation de quelque étoile, la carde des brouillards dérangés par le vent, le friselis des poudreries quand elles butent contre les congères, les blandices d'un pâle soleil se hissant péniblement à l'horizon pour rappeler aux froidures effroyables qu'il y avait encore vie et puissance possible, revanche à venir et motivation de cette revanche.

Nul Inuk de tout le village qui ne se laisse vibrer à ce diapason nouveau et inquiétant.

Mais qu'a dit l'Aveugle ? Rien ? Moins que rien.

Que disent en vérité les présages ? Rien encore, se répète-t-on dans tous les iglous. Moins que rien. Nous craignons l'inexistant. Nous sommes comme des enfants. Il n'y a rien qui menace, dehors.

Et puis, un jour, bien que malgré leurs bravades ils vivent dans l'épouvante, la voix de chiens nouveaux retentit dans le jour laiteux, des cris d'homme requièrent la bienvenue, il y a un branle-bas des choses et des gens, dehors, et ils poussent ensemble une clameur qui en dit long, postés aux ouvertures des iglous, montrant du doigt celui qui arrive, le disparu, le fantôme, le renié.

Cent voix montent dans une seule exhaltation :

— A'ya ! A'ya ! Tayaout, A'ya ! Tayaout, A'ya !

Et monte ensuite à son tour le thrène lent et presque grave des femmes psalmodiant leur accueil.

— A'ya, A'ya, A'ya, A'ya !

DEUXIÈME
PARTIE

I

Pour les Blancs de ce poste esquimau, il y eut quelque inquiétude dans les jours qui suivirent le retour de Tayaout. On sentait, chez ces gens de peu, missionnaires, fonctionnaires, trafiquants et enseignants goebbelistes du soi-disant savoir blanc, que la population indigène dormait mal et cachait des palabres sous les iglous. Qu'elle mentait dans ses sourires, qu'elle se dissimulait derrière des salutations insincères. Et surtout, qu'elle avait hâte de quitter les voisinages de Blancs, pour se retrouver dans le quant à soi de la tribu, sous les dômes de neige où se poursuivaient à voix basse d'interminables discours que les plus hardis des intrus tentèrent bien de saisir en se glissant près des parois translucides, mais qui furent à jamais secrètes.

C'est que de puissants remous bouleversaient les Inuit.

Il n'avait pas été long, telles retrouvailles accomplies entre Agaguk, Iriook, les jumeaux et le fils revenu Tayaout, qu'on s'était rué sur les ballots du venant pour les étaler sur tout le sol de l'iglou. Venaison fumée et peaux brutes, les armes et les balles, l'attirail complet fut déballé et il ne resta que ce dernier colis, solidement ficelé à la babiche dans une peau de caribou, que Tayaout avait tenu près de lui, intouchable, laissant en chacun monter le grand désir de voir enfin l'entier de ce qu'il rapportait.

Et quand l'étincelle de cupidité dans chaque regard devint intolérable, Tayaout eut un large sourire montrant ses dents usées par la dure viande gelée de ses diètes solitaires. Il défit lentement les noeuds et quand il abaissa les pans de peau, la pierre apparut.

Alors Agaguk eut une sorte de long gémissement sourd, et de ses mains il se couvrit les yeux.

Iriook, bouche bée, regardait la pierre verte, la trentaine de cailloux qui s'étaient répandus sur le sol de neige battue en glace.

Les jumeaux, ignorant encore la valeur de ce butin, semblaient plus moqueurs qu'étonnés.

— La pierre divine, fit Agaguk au bout d'un temps.

Il enleva les mains, contempla le trésor.

— Tu as retrouvé la pierre.

— Il y en a, dit Tayaout, plein une île grande dont je sais l'emplacement sur la mer.

Montrant le nord-est, source des vents terrifiants, il ajouta :

— Je sais quelle étoile suivre pour y retourner.

— Voilà la pierre, dit Iriook.

— Voilà la pierre, dit à son tour Agaguk, et c'est notre fils qui la redonne à son peuple.

— L'île est grande, dit Tayaout, grande à y courir à bout de souffle d'une pointe à l'autre. La pierre est sur le sol et creux aussi, vers le fond de la terre. Il y a de quoi fournir nos générations et bien d'autres ensuite.

— Comment l'as-tu retrouvée ? demanda Agaguk. Est-ce qu'il y eut des présages ?

— Je n'ai pas compris les présages, dit Tayaout. Il y

en eut, mais c'était en rêve et je ne savais ce qu'ils voulaient dire. Lorsque mes chemins m'ont amené à l'île, j'ai soudain tout compris.

Il fallut avertir la tribu.

Un des jumeaux fut dépêché à Ayallik, puis d'Ayallik la rumeur atteignit les autres iglous.

Même celui de l'Aveugle. Alors, le chamane vint rejoindre Tayout et sa famille, et s'il ne put toucher de son regard la pierre de mer étalée là, il en caressa le grain et en saisit le galbe ; et s'il ne vit pas le jaspé des veinules, il en put suivre les circonvolutions et constater qu'on ne lui avait pas menti.

— C'est la pierre, dit-il à son tour. Tayaout a trouvé la pierre disparue.

Longtemps, cette heure-là, l'Aveugle tâta chacune des pierres apportées par Tayaout, et il en évalua la masse et la forme. Autour de lui, accroupis en silence, autant d'Inuit qu'en pouvait contenir l'iglou.

La muraille blanche de l'abri était couverte d'eau qui fluait jusqu'à terre et formait des flaques tièdes. Dans la fumée des cigarettes, dans la buée visqueuse de l'évaporation des sueurs, dans la puanteur des corps huileux, subsistait, quand même, une atmosphère d'irréel, où la magie des dieux retrouvés se mêlait à la vénération mystique et apeurée des Inuit immobiles.

Quand, enfin, le chamane eut soupesé chacun des cailloux, il promena son regard éteint sur tous ceux qui étaient là et dit :

— Qu'on le répète et qu'on le chante : nous possédons de nouveau la pierre de mer aux pouvoirs magiques. Il faut que cela se dise dans chacun des iglous, à travers tout notre pays, et répété à tous les Hommes. Il faut leur dire où se trouve la pierre. Alors, ils partiront et feront le grand voyage pour aller la quérir là où elle repose, et ils formeront cette pierre en images anciennes, pour le plus grand bien de tous.

Et il ajouta :

— Mais que l'on garde le secret par-devers les Blancs, qui n'y comprendraient rien.

("C'est très beau, la sculpture," avait dit le missionnaire, "pourvu qu'elle soit un passe-temps. Mais si vous la faites par magie, vous péchez gravement contre le vrai Dieu !")

Tant qu'en pouvait contenir un iglou, puis un autre, aux quatre coins du village, des palabres se tinrent donc. Cent Esquimaux examinèrent la pierre magique, et tous honorèrent celui-là, Tayaout, qui la leur avait rapportée de si loin.

Il n'y eut d'Inuk en tout iglou qui ne soupesât à son tour la pierre et qui n'en examinât les contours et les parements.

Quand se fut bien répandue toute la nouvelle, que les mots de l'Aveugle eurent été redits au su de tous, qu'on eut discuté à satiété de la justesse des présages et des prémonitions qui avaient en quelque sorte averti les Inuit de ce lieu de la bonne encontre échue à Tayaout, quand enfin chacun se fut imbu de ce beau tournant d'Histoire, alors Tayaout s'en fut trouver les Inuit un par un, dans leur iglou, et leur tint ce discours, qu'une force intérieure et sereine le poussait à révéler :

— Chacun de vous peut, à sa guise, sculpter cette pierre. C'est votre sort. Et vous le ferez sans maître d'ouvrage, car c'est votre propitiation à vous et nul n'y peut avoir accès ; mais il faut que je vous dise ce qui en est de la pierre divine. Prenez-la, et palpez-la. Observez sa forme de pierre. Découvrez à quelle forme de nos dieux, de nos êtres et de nos choses elle correspond. Ainsi vous verrez que cette pierre-ci, que je tiens à la main, a forme de phoque. Ce n'est pas en vain. Les dieux ont mis l'âme du phoque dans la pierre. Quand l'Inuk libérera cette âme en taillant la pierre dans la forme de chair et d'os du phoque, les dieux seront reconnaissants. Palpez la pierre, découvrez l'âme qui est en elle, puis libérez cette âme. Voilà ce que j'ai appris dans mes songes et par la pensée vraie, en cheminant sur l'île de la pierre où j'ai tâté chacune et tenté de découvrir l'âme endormie dans le roc.

On avait écouté en silence ce long discours murmuré dans le secret des iglous, et Tayaout parti, les Inuit cherchèrent en effet, dans la pierre qui leur avait été cédée, l'âme qui s'y trouvait. Et se servant d'éclats de granit et même d'outils de Blancs, l'on tailla les formes magiques, phoques ou baleines, ptarmigans ou loups bas et sanguinaires. D'aucuns découvrirent des âmes d'hommes et formèrent des corps d'Inuit en chasse, ou en pêche, ou à l'affût.

Un jour, dans les iglous, il se trouva, issues de la trentaine de pierres rapportées par Tayaout, tout autant de sculptures étranges, d'une masse étonnante, confiées aux mains grasses des enfants pour qu'elles apportent au talisman patiemment ouvré une surface satinée, extraordinairement unie, extraordinairement douce.

II

A travers tout le pays des Inuit, à l'est, la troublante nouvelle se répandit.

Chez les plus jeunes, qui cherchent encore leurs voies d'hommes, il n'y eut que sourires : c'est à peine si d'aucuns se souvenaient des récits des vieux. Or, entend-on comme auparavant ces récits, maintenant que la radio est dans l'iglou et qu'il n'y a que musique de Blancs et voix de Blancs ? Les insidieux conquérants des contrées du Sud savent faire parler en la langue des Inuit vrais, d'autres Inuit qui ont trahi et racontent des pensées de blancs en l'idiome millénaire qui a pourtant bien d'autres usages plus salutaires que celui-là.

Du Poste de la Baleine, un émetteur de radio endoctrine à journée longue tous les Inuit trop jeunes pour savoir se défendre contre cette invasion.

Et l'on ne reconnaît plus les rites anciens, l'on n'aspire plus aux actes de vieille et séculaire bravoure. Seule pensée dominante : posséder les objets du Sud, vivre selon les manières des étrangers, se révolter contre les autorités de l'iglou.

Partir, mais à l'encontre des buts ordinaires, rejoindre Chimo ou Frobisher, ou aller au sud, se pavaner à Moosonee, goûter aux alcools des Blancs, jouer le sauvage émerveillé dans les villes d'acier, apostasier la tradition et mépriser les étendues glacées.

Ils n'en sont pas tous là. Ceux qui sont partis suscitent l'envie, mais ne part pas qui veut. Les Blancs du Ministère offrent aux jeunes de les mener vers des écoles des Blancs où, tout en apprenant des savoirs inutiles à des Inuit, ils désapprendront le sens de leur continuation et le rythme de leur présence dans le pays des glaces. Mais il faut d'abord qu'en des écoles locales, de petite valeur et sans gloire, les enfants Inuit réussissent des examens sévères et rarement justes, où ce n'est pas le meilleur qui sera choisi, mais celui qui aura démontré le plus d'aptitude à ne plus être de sa race, ce qui est piètre science en tous lieux et en tout pays.

Deux qui partent, cent qui restent, et les restants s'exaspèrent. C'est qu'on nourrit leurs rêves de chimères lointaines, qu'ils pourront peut-être réaliser un jour, mais non sans fournir leur livre de chair.

Du fond de la Grande Baie et en remontant ses rives, de Frobisher aussi et en rayonnant sur Baffin, de Cape Dyer à Dorset, et même jusque sur Ellesmere et dans les îles d'environnement, se propagent de nouveaux besoins esquimaux inventés par les Blancs. Finis presque partout les chiens, et pourquoi donc ces bêtes fidèles, puisqu'il y a la motoluge pétaradante, à portée de main, à portée d'yeux ? Mais quand sera-t-elle à portée de bourse ?

Alors le jeune Esquimau sacrifie ses droits d'aînesse et les autres, il hypothèque son labeur et sa sueur, il se lie aveuglément, se vend joyeusement aux Blancs et revient possesseur justement de cette motoluge dont il a rêvé. Il voyagera plus loin et plus vite, il courra

74

mieux le gibier, il sera une sorte de demi-dieu parmi les siens. Mais la mécanique apporte ses servitudes : il ne s'agit plus de chiens frugaux, se reproduisant à l'infini, rarement dolents, rarement malades, tireurs infatigables et résistant aux pires froids, aux pires tempêtes. La motoluge exige de l'essence, de l'huile et son moteur est fragile, ses pièces mobiles s'usent, se brisent. Bien sûr, elle ne jappe point et n'exige aucune nourriture au repos. Bien sûr, l'Esquimau y voyage sans effort, mais que deviendront ses jambes, fameuses à travers les millénaires par leur force, leur endurance, leur continuel acharnement ?

— La mollesse du corps ! disent les Anciens, et ils crachent dans la neige en signe de mépris...

Où sont donc les chants perpétués et transmis ? Quelle est cette musique bourdonnante, ces chants désordonnés, barbares, que déversent les récepteurs de radio ? Est-ce là musique pour les hommes de la haute glace, à qui ont suffi pendant des millénaires les chants doux, susurrés dans les iglous, où se racontait l'histoire des Inuit depuis les temps les plus reculés ?

Ces jeunes, donc, que diront-ils à leurs enfants de ceux qui les ont précédés dans ce monde effroyable où ils ont vécu depuis le commencement des temps ?

N'auront-ils donc pour tout héritage qu'une chanson dans une autre langue où il ne se parle de rien qui soit glorieux, et une motoluge rouillée, à demi enlisée dans une congère ?

Se souviendront-ils, tous ceux-là qui imitent les Blancs et en voudraient être les émules, des âges de l'ivoire et de la pierre, de l'os patiemment formé et des grands iglous bas où se tapissaient les Errants du Pôle ?

Sauront-ils le temps de l'ivoire, alors que les Anciens aux mains patientes raclaient interminablement la dure matière pour en faire des outils qu'ensuite l'on transmettait de génération en génération ? Couteaux minces, d'une incroyable douceur et pourtant habiles à séparer sans entaille le cuir du phoque de sa graisse grisâtre ? Les autres lames d'ivoire, plus renflées, plus puissantes, emmanchées dans la corne de caribou, ou dans un os long de baleine, et qui pouvaient transpercer les entrailles d'un loup, poignarder un morse, déchirer un cachalot ?

Tous ces objets du temps de l'ivoire, témoins nobles et perpétuels des âges où les Errants vivaient en union, solidaires et braves, courant les immensités, cherchant le gibier de survie, tous pour un, un pour tous, attentifs à la race et à la descendance, imbus des récits anciens, maîtres de leur idiome complexe, souple et expressif ; cette panoplie d'armes et d'outils, d'ustensiles et de talismans, façonnés dans l'ivoire par ceux mêmes qui ont permis aux Inuit de se continuer à travers les siècles sans jamais faillir.

Qu'a-t-il donc été de ce temps qu'on en puisse aujourd'hui mépriser les péripéties ? Et faudra-t-il que tous ceux-là, hommes d'autrefois aux patients courages, gardiens de la destinée des Inuit d'un millénaire à l'autre, ne soient désormais plus que fantômes sans nom et sans histoire ?

Quel est donc le jeune Inuk de nos temps prostitués qui tienne en ses mains l'ouvrage de ces Anciens et le vénère ?

Sait-il seulement par quelle nécessité de désespoir l'on tailla autrefois la première lampe de pierre, qu'on y trempa une mèche de lichens tressés, qu'on y versa de l'huile de phoque et qu'à même le feu du ciel longtemps conservé par les femmes soumises aux observances des rites, l'on y mit le feu afin que brille la lumière dans l'iglou et que s'y répande la chaleur ?

Et le sachant, qu'il en oublie toute l'antique grandeur et ne sache que rire de gestes aussi simples, et pourtant graves ?

Car ils rient en apercevant les outils anciens, ils se moquent de ceux qui n'ont pas su inventer le feu abondant des Blancs, les mécanismes acharnés des Blancs, les outils apeurants des Blancs.

Quoi, semblent-ils dire, n'avez-vous donc pas compris votre terrible éloignement ? Pendant que les peuples de la terre tiède inventaient la roue, vous ne saviez encore que glisser sur vos traîneaux aux patins d'os ou de poissons gelés !

("Et quelles roues donc aurait-il fallu que nous inventions, qui puissent cheminer à l'aise sur nos déserts de neige, ou sur les sols caillouteux des terres de dégel ?")

N'auriez-vous donc pas pu forger le métal, agglomérer les pierres, bien asseoir vos maisons et abandonner à jamais l'iglou de neige qui sera victime du premier soleil de renouveau ?

("Mais dans nos contrées sans combustible, où trouver les flammes qui fondent les métaux, les outils qui forgent l'acier ? Et comment donc agglomérer des pierres en des pays de gel continuel ? Et pour asseoir nos maisons, n'aurait-il pas fallu d'abord que notre sol en fût un de permanence et non de muskeg congelé ? Et comment réunir en un seul pays restreint tout le gibier de nos besoins ? Nous avons été des errants sans métaux parce que nous ne connaissions pas les flammes puissantes, et nous avons parcouru le Sommet de la Terre parce que le gibier le parcourait devant nous. Qu'on nous montre le secret de terres novales, de sol arable où tracer des sillons, et nous serons agriculteurs. Mais les génies du Sud, dont se réclament tant de nos jeunes, ont-ils donc conquis notre pays de neige comme ils prétendent avoir conquis leur pays d'humus et de verdure ? Les maisons qu'ils ont construites oscillent interminablement sur le permafrost. Ils apportent ici de bien grandes flammes, mais ils doivent en importer la matière dans leurs navires, car ils n'ont pu encore la trouver dans nos sols, pour qu'elle leur soit disponible et utile. Nos chiens vivent de poisson et de gibier. Leurs mécaniques, si nul navire n'en apportait le combustible, seraient aussi impuissantes et inutiles que les cailloux et les mousses de la toundra. Est-ce donc là un raisonnement inacceptable ?")

Que toutes les forces magiques sous nos eaux et dans nos glaces en soient louées, ce ne sont pas tous les jeunes qui oublient. Et si beaucoup d'entre eux sourirent en apprenant qu'on venait de redécouvrir la pierre de mer aux vertus rituelles, d'autres écoutèrent silencieusement la réjouissance de leurs aînés.

Ceux-ci appartenaient à la pensée de Tayaout. Ils étaient, comme lui, à peu près intouchés par les sortilèges des Blancs et ils conservaient en eux, sinon la vénération des âges anciens, du moins le respect de ce qui avait fait des Inuit une race impérissable dans son éloignement.

Ceux-ci, donc, furent parmi ceux qui, d'un village esquimau à l'autre, partout à l'est de la Grande Baie, se proposèrent comme pérégrins volontaires du grand voyage vers l'île marquée où Tayaout avait trouvé la pierre et dont il avait annoncé à travers la toundra, la précise implantation sur les côtes du haut Labrador.

— Nous partirons, deux, trois, nous tirerons un traîneau vide et nous rapporterons de la pierre.

Les hommes faits aussi, se proposaient au reste de la tribu :

— Nous rapporterons autant de pierres qu'il en faut pour chaque iglou.

Les femmes scrutaient les rives, là où parfois la glace ne revêtait pas complètement les galets, espérant trouver déjà du basalte ou du granit propre à servir d'outils de sculpteur. Au magasin de la H.B.C., les hommes s'allaient rencontrer oisivement en apparence, une peau de troc ou deux en main, examinant les outils d'acier, y cherchant ceux qui pourraient aussi, de leur côté, être utiles pour façonner la pierre qui serait prochainement rapportée par les expéditions en partance.

Sans presque déranger les Blancs de l'Arctique, il y avait une grande fièvre chez les Esquimaux. A Koartuk, à Port Harrison, à Cape Dorset, à Port Burwell, dans tous les établissements où les Errants se résignaient à devenir sédentaires, l'on ne songeait qu'à cette pierre, et c'est tout autant par attelages de chiens qu'en motoluge, que l'on se proposait d'aller la quérir là où elle se trouvait, lointaine mais prometteuse, seule en son pays d'isolement, mais régénératrice de toutes les mythologies pour qui voulait rejeter les artifices des Blancs, leur religion fastueuse et improbable, et revenir aux rites vrais de la tradition.

Si les Blancs soupçonnaient quelque chose, et il était sûr qu'on ne pouvait ignorer un changement d'attitude aussi évident parfois, nul d'entre eux ne se doutait des causes réelles de cette espèce d'innervation qui se produisait d'un établissement esquimau à l'autre.

Que l'on choisisse de traiter de façon casuelle le phénomène n'a pas de quoi surprendre ; l'emprise occidentale en Arctique est lourde et monolithique, le peuple Inuk réputé docile et sans esprit de révolte. Il est d'ailleurs trop morcelé et sans art de bouleversement des masses. C'était plus, chez les Blancs conscients d'une certaine trépidation dans les iglous, une préoccupation de curiosité qu'une véritable inquiétude. On s'angoissait plutôt pour la stabilité de certaines structures déjà en place, à des niveaux qui ne rejoignaient d'ailleurs en aucune façon la crainte d'une rébellion. Un refus collectif de quelque système établi serait à la limite de ce que pouvaient escompter les Blancs minoritaires ; toute violence était imprévisible, voire impossible. L'inquiétude des Blancs n'était donc pas sans un curieux détachement. Incapable d'en savoir davantage, même en questionnant les Esquimaux qui se montraient aussitôt vagues et réticents, l'on opta pour la patience et la suite logique des événements.

Le départ d'expéditions en apparence assez considérables et transportant d'importantes provisions indiquait un long voyage. La nouvelle courut les postes, grâce au radiotéléphone. Et c'est avec une certaine stupeur que les Blancs d'un poste, annonçant le départ d'une caravane de traîneaux, apprenaient que dans le poste communiquant avec eux, une semblable aventure était à se préparer.

Mais où allaient-ils donc ?

A Povungnituk, le Père s'enquit d'une de ses plus ferventes ouailles, peut-être la seule.

— Toi, tu vas me le dire, fit-il.

La vieille édentée baragouina de longues phrases, entortillées comme elles peuvent l'être dans la bouche d'une vieillarde qui décide de ne répondre que par circonlocutions.

Le Père comprit vaguement qu'il s'agissait de pierre, mais la vieille, en utilisant des infixes qui niaient aussitôt ce que le préfixe venait d'insinuer (la langue esquimaude est ainsi faite...), ne faisait que semer davantage la confusion. Le Père en put déduire bien peu, et ne retint même pas l'idée de pierre qu'il avait cru saisir au début, tellement la vieille arriva à embrouiller l'écheveau.

Comme, de plus, elle était l'une des rares de ce poste à parler le dialecte esquimau de l'Ouest, la comprendre en des concepts simples était déjà un peu ardu, et devenait une babel si la vieille décidait d'en remettre au point où, sans rebiffer le Père, elle pouvait arriver à ne pas répondre directement aux questions.

Ailleurs, en d'autres circonstances, et selon d'autres modalités, les interrogations ne furent pas plus heureuses. On se défila, on joua l'innocence, ou alors, tout simplement, on opposa un refus plaqué.

Si bien que les expéditions étaient déjà à mi-chemin quand, dans la plupart des postes, les Blancs se résignèrent à la patience, espérant que les Esquimaux se trahiraient par leurs actes, s'ils ne se trahissaient pas dans leurs paroles.

Une seule chose semblait certaine dans l'esprit de tous les Blancs : il s'agissait d'un acte bien concerté chez les Inuit, un acte qui les concernait tous, et semblait les faire agir, pour une fois, en surprenant unisson.

Des pilotes d'avion déclarèrent qu'ils avaient aperçu les expéditions. Dans un cas certain, un pilote de Nordair affirma avoir observé trois caravanes de traîneaux, qui semblaient converger vers un même point sur la côte du Labrador.

Au Ministère, à Ottawa, où l'on est aussitôt informé de tout ce qui se passe d'anormal ou d'inhabituel, on songea un moment à faire surveiller cet étrange itinéraire par un hélicoptère, mais quelqu'un eut la sagesse de souligner que ce serait grandement exaspérer les Esquimaux que de sembler les espionner dans leurs entreprises, après toutes les hypocrites assurances de liberté de mouvement faites depuis trente ans.

Il fallait donc attendre.

L'on attendit.

Encore qu'il y avait là une nécessité mille fois plus impérieuse que ne l'eussent évalué les Blancs. Car même si un Inuk avait tenté de leur expliquer ce que signifiait la découverte d'un gisement de stéatite verte, depuis tant d'années qu'on en croit l'espèce disparue, il était douteux qu'on ait pu saisir l'importance de l'événement.

Les Blancs, qui ne se prennent aucunement pour des gens superstitieux, malgré leur attachement au catholicisme fétichiste, à l'astrologie, à la vertu du chiffre treize, et autres sornettes, n'auraient certes pas compris l'émerveillement des Esquimaux redécouvrant la magique pierre de mer.

Aussi valait-il mieux, en fin de compte, que les choses en puissent rester là, tant que l'esprit obtus des conquérants venus du sud ne se soit pas fait à l'idée que cette pierre pouvait quand même revêtir aux yeux des Inuit une importance suffisante pour qu'ils montent ainsi des expéditions ardues pour l'aller quérir là où elle se trouvait.

On put donc, chez les Inuit, toutes caravanes voyageant en chemins convergents, poursuivre le voyage sans être autrement inquiétés.

Et les Blancs en furent quittes pour bénéficier, ces temps-là, d'un sujet de conversation de rechange, durant les longs soirs de leur oisiveté en pays conquis.

III

Bizarrement, ce ne fut pas Tayaout qui partit vers la pierre lointaine. Pourtant, il aurait dû être le chef de cette expédition. D'autant plus que peu après son retour, un soir qu'il était, avec son père, en compagnie des Anciens du groupe, on avait écouté en silence le récit de son long pèlerinage aux sources.

Il raconta en des mots simples, qu'il murmura en une sorte de vaste cantilène, tous ses songes et toutes ses pensées confuses ; il décrivit aux vieillards la grande force qui était montée en lui quand soudain il avait compris l'importance de chaque homme dans la descendance des ancêtres, qu'il lui fallait accomplir sa vie selon un rythme mêmement déterminé, afin qu'il ne faillisse point à la juste perpétuation qui était attendue de lui.

Il sut dire que des pensées venues d'ailleurs, il ne savait d'où, impérieuses comme un grand vent de janvier, lui avaient imposé de poursuivre une quête dont il ne savait ni l'objet, ni la nature. Il se doutait seulement que s'il persistait dans son entreprise, un jour viendrait où lui apparaîtraient bien clairement ce que l'on exigeait de lui, et les raisons mêmes de cette exigence.

Il révéla son combat contre l'ours, ses graves blessures et la période d'attente, alors que sous un iglou il laissait se refermer les déchirures, renaître le sang, revivre les forces. Il évoqua ses songes et, quand il admit n'avoir pas invoqué les mânes de l'ours avant de s'attaquer à lui, les Anciens hochèrent la tête, reconnaissant que c'était là précisément la faute de Tayaout.

Mais surtout, par les recoupements de ses phrases, par les sous-entendus et même par les silences, il vint à révéler aux Anciens que sa découverte de la pierre n'avait rien de fortuit, et que son long voyage même, depuis le jour où il avait été conçu dans son esprit, émanait d'une inspiration profonde dont il ne connaissait nullement l'origine et qui l'avait en quelque sorte poussé à tous les gestes, parfois inexorablement.

Comment expliquer qu'il ait erré en une contrée particulière et qu'au terme vrai du voyage il se soit trouvé là justement où gisait la pierre divine ? Qu'en décidant de sa course il n'ait même pas scruté l'est ou le sud, nul en somme des repères habituels, et n'ait invoqué nul portulan primitif, signal d'amarrage pour le kayak en peau de phoque, mais bien plutôt fixé un point sans nom, marqué par des étoiles jamais observées auparavant, un point sans désignation réelle, inventé soudain, ou inspiré en lui par quelque voix mystérieuse et dominatrice ?

Aller là, sans savoir de quel lieu il s'agit, ne prendre aucun nord d'habitude et voyager pourtant vers un but qu'il sentait confusément certain, confusément proche...

En fallait-il plus pour prouver que c'était là une force du destin ? Que le moment était venu, dans la pensée des dieux, de redonner aux Inuit leur pierre magique dont ils avaient tiré pendant si longtemps force et continuation ? Et que Tayaout avait été choisi, instrument docile, pour retrouver cette pierre et la rapporter aux siens ?

Cela, les Anciens le comprirent, et ils n'hésitèrent pas, quand Tayaout eut terminé son récit et que le silence fut retombé dans l'iglou, à se concerter du regard.

L'un d'eux, Tudlik, le plus sage, celui qui sait toute la science de la vie des neiges, posa sa main sur l'épaule de Tayaout, et, en regardant Agaguk tout près, murmura :

— C'est un homme.

Tous inclinèrent gravement la tête, en grommelant des choses bonnes dans le fond du gosier. Il était un homme, cela ne faisait plus aucun doute. Il était jeune encore, à peine issu de ses adolescences, mais il avait accompli le plus grand voyage, il avait combattu la plus grande bête sanguinaire, il avait piégé d'innombrables pelleteries et s'était nourri plein ventre à même le sol et la mer, tout au long de ses longues errances.

Et, à la fin de tout, au terme même, lorsqu'il eut atteint l'île introuvable, qu'il l'eut repérée sans consciemment la rechercher et que la pierre lui fut apparue, voilà qu'il était arrivé en même temps à son terme d'épreuve ; il était désormais un homme. Et pour sa descendance, l'Homme retrouveur, sorte de Messie, pourrait-on dire, qui a remis aux Inuit l'instrument de leurs propitiations.

"C'est un homme," avait dit Tudlik, et cela contenait toutes les significations comme toutes les désignations.

Tayaout, tête basse, s'habituait à sa nouvelle appellation, le coeur battant, mais le visage impassible.

A ses côtés, Agaguk tremblait de tous ses membres. Il avait si longtemps rêvé, autrefois, à cet instant

85

même où le fils premier-né, ce Tayaout qu'il avait formé de sa semence et de sa volonté, atteindrait l'âge d'homme et serait reconnu par les Anciens.

Quand, le lendemain, Agaguk discuta de l'expédition qu'il fallait entreprendre vers la pierre de l'île d'éloignement, à son étonnement toutefois, Tayaout se récusa.

— Il faut que je reste ici, dit-il. Il faut que je pense.

— Tu connais le chemin qui mène à la pierre.

— Je puis vous le tracer.

— Tu es fort et tu m'aiderais à guider les traîneaux.

— Que les jumeaux aillent.

— Ils sont jeunes.

— La fille comme le garçon sont forts et habiles, même s'ils sont jeunes.

— Pourquoi rester ? Tu réfléchiras en chemin.

— Il faut que je sois ici.

Tayaout n'aurait pu expliquer ce qui le retenait. Comment décrire les vastes bonheurs qui montaient en lui, comme une sorte d'extraordinaire lueur sereine et paisible, qui semblait baigner non seulement son âme, mais bien au-dehors, dans l'entourage, les objets familiers, les choses et les gens ?

Homme reconnu, homme déclaré, rien n'était plus semblable. Il semblait à Tayaout que partir au froid, aux grands vents, cheminer dans le continuel harcèlement des chiens à mener, des traîneaux à guider, de la fatigue à conquérir, ne pourrait s'accorder à ce qu'il ressentait de grave et calme en son coeur. Il lui fallait, il l'avait bien dit, penser. Et peut-être aussi repenser bien des idées qu'hier encore il avait sans souci, sans inquiétude. Mais il est homme désormais et tout a changé. Il lui faut regarder autour de lui, prendre conscience de ceux qui l'entourent et puisqu'il est leur égal, deviser avec Ayallik et les autres. Il ne sera plus

l'enfant à qui l'on parle sur un ton presque moqueur ;
il est homme, et à un homme l'on ne dit pas les mêmes
choses que l'on dirait à un enfant.

— Je reste, répète-t-il à son père.

Peut-être s'attend-on, en effet, dans son village, à
ce qu'il soit le premier reparti. Explorateur de cette
terre neuve et merveilleuse, ce serait présumément à
lui d'y mener les autres. Mais Tayaout n'arrive pas à
s'en convaincre. Il ira là-bas plus tard. Il entend même
y retourner et tenter d'en rapporter un monstrueux
bagage de pierre lourde. Pour l'heure, il préfère attendre, se repaître secrètement de la joie en lui, la vivre
et en goûter les moindres saveurs.

Et demain pas davantage.

Plus tard, c'est juré, il ira, mais pas aujourd'hui.

Car demain, selon le papier du Ministère et en
comptant les mois nommés, il aura seize ans.

IV

Quand Agaguk revint à son tour du voyage qu'il avait entrepris en persuadant Ayallik de l'accompagner, ainsi que les jumeaux et Noartak, le fils de Tudlik, les vingt chiens d'équipage peinaient à tirer deux lourds traîneaux chargés de pierre verte.

Tel qu'il avait été entendu avant le départ, cette pierre devait être répartie également entre tous ceux du village qui désiraient en posséder.

Judicieusement, Agaguk avait établi d'abord combien d'Inuit ambitionnaient de sculpter les formes rituelles, et combien de ces galets polis et doux ils comptaient recevoir. Sur place, à l'île de mer, il avait ensuite compté chacune et avait pris garde que tous aient leur content au retour. Par prudence, il avait même ajouté dix cailloux ronds, gros comme deux poings, pour la bonne mesure.

— Il y en a pour tous, dit Ayallik, quand la tribu entière se pressa autour des traîneaux.

Il y en avait en effet au moins deux pour chaque homme fait, et pour certains, comme l'Aveugle, comme Ayallik, comme Agaguk — et même Tayaout, qui l'avait instamment demandé — il y en avait quatre.

Chaque pierre était de volume suffisant pour que s'y pût tailler la forme qu'elle emprisonnait depuis ses millénaires à elle. Pour l'Aveugle, qui l'avait requise, il y avait une pierre quatre fois grosse comme les autres, de forme tourmentée, longtemps quérie par Agaguk à travers toute l'île, puisqu'elle devait être, selon les désirs de l'Aveugle, haute et oblongue, et que l'on y pût deviner deux hommes et un ours.

Quand le partage fut terminé, et dès le même soir dans presque tous les iglous, les hommes entreprirent la patiente recherche de l'âme dissimulée dans la pierre.

Tayaout, retiré dans son coin, dos tourné à ceux de son iglou, une large pierre verte dans les mains, tourna et retourna le galet, en scruta les orbes et les creux, chercha à découvrir des arcatures, explora les veines et les veinules, se perdit en de longues contemplations immobiles, la pierre sur les genoux, attendant que se manifeste le génie caché de la bête ou de la chose qui habitait la matière dure, d'un vert presque noir, aux stries grises ou blanches.

Pareillement, Agaguk, perdu dans son propre silence, la pierre devant lui, chercha ce qui prendrait forme à la fin, ce que ses doigts à lui libéreraient de l'âpre cangue.

Il fut minuit, heure bien tardive, avant que chacun de son côté les deux hommes se résignèrent à abandonner la partie jusqu'au lendemain. Sans un mot, tête basse, gardant pour soi les premières étapes de leur recherche, ils s'étendirent sur le banc de glace, enveloppés dans les peaux d'ours, pour dormir jusqu'au jour levé.

Des rêves s'emparèrent d'eux dès le tôt sommeil. Pour Agaguk, ce fut simple, et révélateur comme une prédiction divine : dans la pierre qui lui était dévolue, une seule forme pouvait se trouver, qu'il n'avait pas voulu reconnaître d'abord, mais qu'il serait forcé d'admettre au réveil. Tout comme autrefois, près de son iglou, dans la pierre unique trouvée là comme par présence enchantée, il avait extrait la forme de son fils-enfant, dans la pierre rapportée de l'île se trouvait de nouveau Tayaout, mais cette fois l'enfant-homme, le fils adulte, le pérégrin, désormais possesseur de la science des hauts pays du Nord. Ainsi, à quinze ans d'intervalle, Agaguk recommencerait les mêmes gestes, dans une deuxième pierre trouverait de nouveau l'âme de son fils, dont il perpétuerait ensuite la forme.

Il s'était refusé à y croire toute la soirée, pensant se tromper, craignant d'être aveuglé par sa fierté de père et voir partout l'esprit de son fils.

Mais le rêve fut péremptoire.

Un être immense qui enjambait des banquises hautes comme des montagnes, marchait pieds nus dans l'eau de la grande mer et touchait le fond sans se mouiller les chevilles, gesticulait dans le ciel en bousculant les étoiles et criait à Agaguk des mots sans suite, dans une langue incompréhensible.

Surgit alors d'un roc énorme adossé à une falaise, l'image de Tayaout, mais d'un Tayaout géant à son tour, grandi à la taille de l'autre créature du rêve et qui se dressait devant lui prêt à le tuer.

Il y eut un combat dont toutefois Agaguk n'eut pas connaissance. Il entendait les sons, il percevait le souffle haletant du géant et de son fils, il entendait le bruit des armes s'entrechoquant, et la neige de tout le pays était soulevée et projetée par-dessus cette lutte homérique. Toutefois, Agaguk était pétrifié, rivé en place, ses yeux ne pouvaient quitter le roc immense d'où était sorti Tayaout. Or, à mesure que se déroulait le combat derrière lui, Agaguk voyait se transformer le rocher. Petit à petit celui-ci semblait s'amenuiser vers le haut, s'allonger, prendre figure humaine. Et au moment même où, derrière, et de nouveau, le géant s'écroulait, terrassé par Tayaout, le roc avait déjà pris la forme de celui même qui s'y était dissimulé avant d'attaquer le géant, de Tayaout, du fils d'Agaguk, trait pour trait, chaque pli du vêtement reproduit, une image on ne pouvait plus ressemblante.

Un tel présage et un tel avertissement ne pouvaient être trompeurs, et Agaguk le comprit bien. La signification du rêve était bien précise. Il lui fallait ne plus tenter d'apercevoir une autre âme que celle de Tayaout dans la pierre qu'il avait tenue entre ses mains. Et en créant ainsi la figure de son fils, il garantirait à celui-ci l'accomplissement d'un grand destin, dont le combat contre le géant semblait être le profond symbole.

Après, il sombra dans un sommeil noir, s'y reposa moitement, et s'éveilla bien dispos.

Pour Tayaout, la nuit avait été bouleversante. Lui aussi avait reçu des songes en présages.

Un immense serpent visqueux et vert rampa autour du Sommet du Monde, puis l'entoura de ses anneaux concentriques. Tayaout, dans le rêve, était tout proche du corps énorme et sinueux de l'animal. Tapi derrière une dune de neige, à demi enfoui, l'arme aux aguets, il épiait les mouvements du serpent et sa frayeur était grande. Un reptile aussi gigantesque pouvait, en se retournant, non seulement écraser Tayaout, mais son peuple avec lui. Et il semblait au fils d'Agaguk qu'en effet le peuple entier des Inuit se tenait là, derrière. Qu'il sentait sur sa nuque la respiration immense de milliers d'êtres. Et qu'on attendait de lui qu'il détruise le serpent, qu'il risque même la dernière parcelle de vie pour sauver l'entier du pays et de son peuple.

Pourtant, le serpent ne bougeait plus. Etendu autour du Pôle, coiffant tout le Sommet de la Terre, il respirait à peine et semblait dormir.

Son corps rond, haut comme une montagne, se dressait là, devant Tayaout et des voix mystérieuses sifflaient dans le vent l'ordre de tirer, de blesser à mort le reptile, d'en débarrasser la terre une fois pour toutes.

Mais lorsque Tayaout tentait d'épauler son fusil et de lancer dans la masse énorme devant lui une première balle qui déclencherait le combat, d'autres forces invisibles le retenaient, d'autres voix semblaient chuchoter des choses qu'il ne comprenait point, mais qui lui liaient les bras malgré lui.

Baigné de sueur, se tordant sous la peau d'ours, Tayaout gémissait et se débattait dans les affres de son cauchemar.

Soudain, la tête du serpent se redressa tout là-bas, et le peuple entier émit une longue plainte sourde derrière Tayaout. Et l'enfant fait homme hier put enfin se redresser, maintenant il était debout, il épaulait son fusil, et la tête du serpent apparaissait, maléfique, au-dessus de l'horizon. Déjà, le reptile commençait à bouger ses anneaux puissants, à les dérouler. Alors Tayaout eut un grand cri d'effroi, car la tête du serpent s'était transformée, elle était maintenant la tête d'un Blanc, portant lunettes, portant chemise blanche et cravate, et ce Blanc odieux ricanait en lançant au peuple Inuit des regards méprisants.

Quand finalement Tayaout put presser la gâchette de sa carabine, il vit dans son rêve la balle partir, voyager au loin, grossir et devenir une sorte d'énorme boulet d'acier qui attrapa le visage immense du Blanc à la volée et le fracassa.

Et les anneaux soudain perdirent leur puissance et se déroulèrent mollement, incapables de mouvoir un corps inerte...

Poussant un cri de triomphe, Tayaout se réveilla.

Dans l'espace d'une seconde, il avait compris et il pouvait maintenant deviner ce qui se cachait dans la pierre qu'il allait sculpter.

Au matin, il posa le morceau de stéatite sur ses genoux sans plus hésiter, prit en main les outils et se mit à l'oeuvre d'extraire de la pierre ce qu'en rêve il lui avait été révélé et qui dormait là, en attendant sa libération.

Quelques jours plus tard, le bloc de pierre foncée avait pris forme. Il ne restait plus qu'à polir les plans, arrondir les arêtes, et donner l'élan final au geste et au mouvement de l'être qui y était représenté.

C'était l'image d'un Inuk, épaulant sa carabine. Pour tout venant sans perception des choses, il ne se pouvait voir là qu'un Esquimau visant une bête au loin et s'apprêtant à tirer le coup mortel.

Mais Tayaout savait, lui, que dans ce lointain qui n'était pas montré, il n'y avait que le Blanc, et que l'Inuk au fusil, c'était lui-même, Tayaout, et qu'il s'apprêtait à jeter par terre le monstre oppresseur.

Bizarrement, quand Agaguk eut terminé sa propre sculpture, sans avoir jamais examiné ce que faisait son fils, il avait lui aussi créé l'image d'un homme debout, fusil épaulé, tirant sur une proie dans son éloignement. Et l'homme avait bien la forme un peu trapue de Tayaout, et Agaguk avait même pu reproduire les traits du visage de son fils. On apercevait sa bouche, plus volontaire que celle de ses congénères, ses yeux un peu plus grands, la mèche de cheveux qui lui tombait sur le front, et les fossettes incongrues qu'il avait aux commissures des lèvres.

— C'est moi, dit Tayaout en examinant l'oeuvre de son père.

— C'est toi. Tel que dans mon rêve...

94

— Qu'est-ce que je vise ?

Agaguk réfléchit un moment, puis il dit d'un ton étrange :

— Tu es jeune et pourtant tu es un grand chasseur.

Tayaout n'ajouta rien à ce que venait de dire son père, mais il baissa la tête et songea que c'étaient de bien grandes puissances qui venaient ainsi la nuit et inspiraient aux Inuit les gestes justes et efficaces.

Peut-être bien que jamais lui, Tayaout, ni d'autres après lui, ne mèneraient contre le Blanc accapareur la révolte de front, l'assaut violent. Mais si tous les plus sages, et tous ceux qui recevaient la parole de nuit, sculptaient ainsi les images propitiatoires, ne se trouverait-il pas à la fin des dieux habiles et souverains de toutes terres glacées qui chasseraient les Blancs et redonneraient aux Inuit la libre course et les libres jours ?

Il n'en tenait peut-être qu'à cela, et voilà ce que murmuraient les esprits du rêve : honorer et vénérer les dieux et les laisser se charger, eux, de renvoyer les Blancs vers leur sud oppressant...

Et puisque, dans ce seul iglou deux images de la pierre divine et magique offraient déjà aux puissances du ciel leur vénération, combien en faudrait-il de plus pour que les Blancs disparaissent à jamais ?

— Tant qu'il en faudra, murmura Tayaout.

Et Agaguk, qui se mettait à discerner des choses sans les comprendre tout à fait, conclut à son tour qu'il y avait là plus que de l'artisanat rituel et répéta après Tayaout :

— Tant qu'il en faudra...

V

Un blanc nouveau venu se montra dans l'Arctique cette année-là.

Il faut le nommer Jones, il aurait pu porter bien d'autres noms.

Il faut le nommer Ron Jones, cela suffira pour raconter son histoire et son rôle. Est-il besoin d'en savoir plus sur cet homme ? Il réalisa son propre destin. Par quels dieux était-il poussé pour venir corrompre ce qui avait été beau et ce qui avait été propice ?

Le destin, dit un vieux chant esquimau, a des parois déclives et seuls les ardents grimpeurs et les acharnés peuvent s'y retenir. L'ornemaniste qui a inventé tous les paysages aurait-il, inspiré par les sols tourmentés de Baffin et d'Ellesmere, inventé aussi la configuration du destin et rendu celui-ci à l'image des pays les plus bouleversés, justement pour qu'il soit infiniment difficile de s'y retrouver ? Il est sûr qu'aux Inuit n'a pas été donnée la suavité des pays de soleil, où l'homme n'a qu'à se raccrocher à lui-même pour survivre, le plus souvent. Susciter sa propre initiative, son propre courage, sa propre entreprise aussi. Il n'a pas, d'abord, à se soumettre aux éléments déchaînés avant que de pourvoir à sa prochaine respiration. Il n'y a pas, dans ces parages, setier sur setier de sol où laisser croître de riches graminées. Dans les pays d'horizon éternellement visible, il n'y a pas de forêts.

Et les vents chauds qui viennent en nos Nords n'ont souvent que réussi à projeter les iglous érigés sans le savoir sur la banquise, dans le fond de la mer où pourtant, disent les mythes antiques, dorment les pires ennemis.

Pourquoi donc, dans un destin aussi précaire, est-il venu un Ron Jones aux paroles enveloppantes ?

Les dieux des Blancs seraient-ils plus puissants, si puissants que les Inuit ne sont que des pions sur quelque gigantesque jeu dont ils n'apprennent jamais les manoeuvres et les ruses ?

Ron Jones est venu.

Il est arrivé un jour, dans un avion blanc qu'il pilotait lui-même. Il connaissait peu le pays, il n'avait visiblement pas l'habitude des grandes neiges. Il habita un poste, et puis l'autre. Plus tard, on ne se souvint pas de lui bien précisément, et ce qu'il avait fait à son arrivée. Etait-il un homme du Ministère ? Avait-il d'autres intérêts ? Les Inuit l'aperçurent, comme ils apercevaient tous les Blancs. Ils lui firent le même accueil, aussi. Quant à son nom, dès lors ils n'en retinrent point la consonance. Pourquoi se remémorer le nom d'un Blanc semblable à tous les autres, un Blanc qui vient, qui restera un temps, repartira, et dont on ne saura jamais plus rien ?

Celui-là n'était pas différent des autres. Il passa quelques semaines ici, quelques semaines là. Son seul geste, accompli au contraire de ses semblables, fut d'entrer dans quelques iglous. Il était plus curieux que les autres Blancs, il était moins méprisant peut-être, comment le savoir ? Il professait de respecter les Inuit, mais cela peut tout aussi bien être une attitude.

Il y a des gens qui respectent les bêtes, mais pourtant ne vivraient pas avec elles. Tant de Blancs ont vécu dans l'Arctique, qui souriaient aux Esquimaux, mais qui n'auraient jamais vécu dans un iglou à moins d'y être forcés, lors d'un voyage et pour qui dormir autrement et ailleurs eût signifié la mort.

Dans un poste, combien de Blancs entreraient dans un iglou ? Sauf ceux qu'une malsaine curiosité anime ; ceux qui viennent là pour se "renseigner", qui furètent partout, écorniflent, entrent partout sans permission et, lorsqu'ils viennent dans les iglous, vont ensuite n'en décrire que l'odeur, oubliant que sous chacun de ces dômes de neige vivent aussi des êtres humains, unis et forts, liés parfois jusqu'aux entrailles par la menace constante de la vie qu'ils doivent mener, solidaires jusqu'à la mort. Ces intrus ont-ils aperçu, par exemple, la sérénité amoureuse dans le regard d'une femme esquimaude lorsqu'elle observe son mari ou ses enfants ? Ont-ils rapporté, ces ethnologues en mal de savoir scientifique, la sensibilité humaine ? Que savent-ils de l'attachement familial, du respect des lignées, du souci de stabilité tribale ?

Paraît-il que Ron Jones agit en tout point comme les curieux parmi les Blancs. Il se montra même moins dédaigneux que d'autres, et certains Esquimaux furent assez naïfs pour l'accueillir parmi eux sans la moindre réticence.

Il apprit vitement la langue de l'Est, sut l'employer joyeusement et conquit ainsi d'autres confiances, d'autres amitiés.

Le malheur, c'est qu'il aperçut dans nos iglous les sculptures de pierre verte que chacun avait façonnées et qui trônaient dans la niche de neige, selon les rites.

Et qu'en apercevant ces oeuvres de lente patience, il conçut aussitôt un projet. Ce projet, il est inscrit dans des rapports que l'homme fit parvenir ici et là dans le pays des Blancs. Surtout au Ministère, où il tenta de susciter les bonnes volontés.

Le court et le long fut qu'il se rendit voir un jour Agaguk, et que ce fut pour les Inuit un jour noir...

* *
*

L'homme parlait aisément, et l'on constata avec étonnement chez les Inuit qu'il employait fluidement la langue esquimaude. Il savait comment aborder les gens, comment les saluer, comment engager le dialogue. En quoi il était bien différent de la plupart des gens du Ministère, qui s'obstinent à enseigner l'anglais aux Esquimaux, par paresse d'apprendre la langue du Nord, ou par simple défaut d'intelligence.

Il s'en fut donc voir Agaguk en son iglou.

Ce jour-là, Tayaout était parti, se décidant enfin à mener une deuxième expédition du village vers l'île de la pierre.

Iriook était chez une cousine, à plusieurs iglous de là, et les jumeaux étaient à la mission.

Agaguk était seul.

Lorsque furent terminées les salutations et que l'homme se fut accroupi sur les peaux par terre, devant Agaguk, il en vint sans tarder au but de sa présence dans l'iglou. Dehors, un vent de janvier rageait, mais la neige était dure, gelée profondément, le ciel était limpide et l'horizon s'apercevait à perte de vue. Le froid était mordant, mais sec et supportable.

Dans l'iglou, il régnait une bonne chaleur moite, où bien se trouver pour deviser à son aise.

Jones montra les deux sculptures déjà en place, celle de Tayaout et celle d'Agaguk. Elles se ressemblaient, toutes les deux, mais il y avait de subtiles nuances dans les attitudes, dans le port du fusil, dans l'angle de la tête et des reins. Dans celle d'Agaguk se voyait peut-être une observation plus juste, à distance, des positions prises par le corps d'un autre être à l'affût. Il y avait toutefois un mouvement plus souple dans l'inspiration de Tayaout, une sorte de nervosité du geste qui n'existait pas dans l'oeuvre d'Agaguk.

— Je vois, dans les iglous, beaucoup de ces images de pierre, dit Jones, articulant posément les gutturales esquimaudes et rendant parfaitement les intonations essentielles.

— Il y en a, dit Agaguk.

— Je vois, reprit l'homme, que ces sculptures sont en très belle pierre.

Agaguk hocha la tête, mais n'offrit aucun commentaire. Comment expliquer à cet homme qu'il s'agissait de la pierre-fée ? Pourquoi lui révéler ce qu'il n'avait aucun intérêt à connaître ?

— Lorsque je suis retourné au sud, dans le pays des Blancs, continua Jones, j'ai parlé de ces sculptures à des gens là-bas. Je les ai décrites. J'avais même pu prendre des photographies dans un iglou de Cape Dorset.

Agaguk inclina lentement la tête.

— Les Blancs, dit-il, parlent beaucoup, et disent beaucoup de choses différentes.

Jones eut un léger rire.

— C'est un reproche ? dit-il.

Agaguk haussa les épaules.

101

— Ils parlent beaucoup lorsqu'il s'agit de choses importantes, reprit Jones, et ils disent des choses qui comptent.

— Je ne connais pas les dires des Blancs, fit Agaguk.

Il a peu frayé avec les intrus du Sud, c'est vrai, il s'en est tenu loin. Il n'a que faire du missionnaire et il se borne à traiter avec le magasin de la H.B.C., et seulement quand il le faut bien.

Il est pourtant curieux de savoir où veut en venir Jones, dont il a entendu parler et qu'il connaît pour l'avoir aperçu dans le village, se tenant tout autant avec les Esquimaux qu'avec les Blancs. Mais il demeure impassible et ne fait rien voir de sa curiosité. L'homme a peut-être guetté le moment où il serait seul ici, et il a peut-être des choses à dire qui importent. C'est à voir, et Agaguk peut attendre.

— Je ne connais rien des Blancs, dit-il encore une fois, modifiant un peu sa pensée, insinuant même par son regard qu'il n'est pas vraiment intéressé.

Jones n'est pas pressé. Il se balance un peu sur les talons, il attend, il a l'habitude des circonlocutions, et de la réserve instinctive des Esquimaux devant les étrangers.

— Il arrive, dit-il, que les Blancs disent des choses qui peuvent aider les Esquimaux.

Agaguk l'observe en silence. Ses yeux de laque n'expriment rien.

— Ainsi, lorsque j'ai montré là-bas l'image des sculptures, j'ai entendu de fort beaux compliments.

La curiosité ronge maintenant Agaguk, mais il garde toujours son même calme. Il ne siérait pas que cet étranger voie en lui la moindre émotion. Comment l'interpréterait-il ensuite ?

102

— Les Blancs aiment bien, continua l'Anglo-Saxon, tout ce qui est beau et vient de loin. On m'a dit, dans les villes, qu'on paierait un bon prix pour posséder de pareilles sculptures.

Le mot était lâché. Agaguk venait de comprendre. Jones se montrait ici en entremetteur. Il avait inventé quelque chose, là-bas, au sud, il avait peut-être même menti au sujet des sculptures, et maintenant il tenait à s'emparer d'une d'entre elles pour rentrer en bonne grâce...

Il ne venait pas facilement à la pensée d'Agaguk qu'on pût, chez les Blancs arrogants et qui se prétendent supérieurs, trouver beau ce qui est accompli si loin dans les neiges, par des hommes que les Blancs méprisent depuis si longtemps, dont ils décrivent les odeurs, les gestes et les modes comme étant dégoûtants et malsains. Par le peu de langue anglaise que connaît Agaguk, il a parfois saisi des phrases prononcées devant lui par les Blancs, il sait dans quel mépris ils tiennent les Inuit. Même les missionnaires, qui sont là, disent-ils, pour apporter un message d'amour et de paix, parlent des Esquimaux comme des êtres inférieurs. Agaguk l'a souvent entendu de la bouche même de l'Oblat ou de l'Anglican. Soit, il va, comme les autres, aux cérémonies de la mission, mais c'est parce qu'il y trouve un divertissement dont la pareille est rare en ces parages. Et puis, quand un Inuk est bien vu du missionnaire, il a droit à de petites faveurs, il peut bénéficier d'aide et de cadeaux aux moments les plus inattendus. C'est qu'au fond, tout ce mépris importe bien peu. Les Blancs sont venus et passeront, mais les Esquimaux étaient là bien avant eux, et ils resteront là où, un jour, nul Blanc ne subsistera plus.

Cela confère de la patience.

Une patience un peu amusée, sereine, sûr que l'on

est de la disparition éventuelle de tous ces gens qui apportent bien de belles et bonnes choses dans l'Arctique, mais en révèlent aussi qui sont odieuses à la pensée esquimaude.

En profiter pendant qu'ils sont là, de ce qui est propice et salutaire, puisqu'on n'y peut rien, et honorer discrètement les dieux, de sorte qu'un jour, les Blancs disparus, on se retrouve en famille.

Maintenant, Agaguk comprend que son rêve à lui, au soir de la première sculpture, et celui de Tayaout, étaient les mêmes, et que le géant velu à pelage blanc était aussi, tout comme le serpent maléfique du rêve de Tayaout, la personnification du Blanc, que les amulettes neuves, les figures taillées dans la pierre finiront par renvoyer vers le sud.

Autant donc écouter celui-là jusqu'au bout, quoi qu'il ait à dire. Et savoir en quoi consistent les compliments dont parle ce Blanc.

— Dans vos villes, dit Agaguk sans changer de ton, qu'en savent-ils, de nos sculptures ?

— Ils disent, fait Jones, que je pourrais t'offrir deux dollars pour ta sculpture, et deux dollars pour toutes les autres sculptures de même taille que tu feras. Pour les plus petites, un peu moins, pour les plus grosses, un peu plus.

La déclaration a ébranlé Agaguk.

Il ne s'était pas douté que le Blanc offrirait ainsi de l'argent. Il a cru qu'il lui demanderait de troquer l'amulette contre un colifichet, un quelconque brimborion. Il a l'habitude.

De précieuses peaux, des vêtements longuement ouvrés par des mains de femmes ont ainsi pris le chemin des villes de Blancs.

Rarement a-t-on offert de main à main cet argent de papier, ces dollars qui deviennent même ici indispensables, et l'une des inventions des Blancs les plus néfastes aux yeux des Esquimaux.

Mais il en faut.

Il en faut chaque jour, il en faut chaque mois. Le temps du troc en nature, alors que les Esquimaux apportaient le produit de leurs chasses et l'échangeaient au magasin de la H.B.C. est déjà presque révolu. Bien entendu, l'on troque encore. Mais les peaux sont évaluées en dollars et la marchandise est tarifée de même façon. Et il n'y a pas que ce magasin, il n'y a pas que cette servitude. D'autres progrès ont rejoint les Inuit et exigent chaque mois des déboursés.

Il faut des dollars, c'est sûr.

Et deux dollars offerts par un Blanc, c'est une somme. Plus encore, elle n'est pas pour une seule fois, mais peut être versée de nouveau, à charge de transformer d'autres pierres en images qui intéressent les Blancs...

Agaguk a peine cette fois à cacher son émoi. Il observe le Blanc, scrute son regard. Ment-il ? Mais comment pourrait-il mentir, il offre des dollars, il ne retirerait pas l'offre au dernier instant, si par hasard Agaguk lui cédait la sculpture. Se pourrait-il qu'il y ait là quelque ruse ?

L'Inuk est tenté d'étendre la main, de prendre l'amulette dans sa niche et de la tendre à Jones, afin de voir si vraiment l'homme a dit vrai, et s'il a réellement l'intention de payer autant pour cet objet de pierre taillée.

Il décide que l'homme ne ment pas. Il y a trop de désir de possession dans son regard lorsqu'il contemple la sculpture. Et en ces temps d'aujourd'hui, risquerait-il de frauder un Esquimau ? Autrefois, Agaguk a cruellement puni un trafiquant blanc qui l'avait roulé. Il a mis le feu à sa tente, il l'a fait brûler comme lièvre à la broche. On est venu bien près de le punir pour cet acte, mais il s'en est tiré, grâce surtout aux blessures qui lui ont été infligées par un grand loup blanc et qui l'ont défiguré tel qu'il est aujourd'hui, moins horrible à voir qu'autrefois, mais sûrement bien loin du bel Inuk qu'il avait été dans sa jeunesse.

Défiguré, il n'a pu être identifié positivement, et grâce aussi aux astuces d'Iriook, il s'en est trouvé sauf. A l'époque, les fraudes étaient coutumières, et c'était toujours l'Esquimau qui en était victime. De nos temps, cela devient moins possible. Il y a toujours quelqu'un du Ministère, ou de la Gendarmerie, qui surveille et réprime.

Un homme comme Jones, bien vu des Blancs, semble-t-il, accueilli cordialement chez les Esquimaux, ne pourrait se permettre la fraude. Il serait trop vite dénoncé, aussitôt pris, aussitôt puni. S'il offrait deux dollars pour la sculpture, il fallait croire qu'il les verserait vraiment le moment venu.

La main d'Agaguk partit pour aller prendre la sculpture, un moment les yeux de Jones brillèrent. Mais l'Inuk immobilisa soudain le geste et ramena la main d'un lent mouvement pour la laisser retomber sur sa cuisse.

— Ce que tu as fait une fois, dit Jones, tu peux le faire dix fois, vingt fois, et plus. Et pour autant de dollars que vaudront tes oeuvres ! A l'année longue, même, tu pourrais produire des sculptures, je te les achèterais...

Comment expliquer à Jones que ce ne sont pas là de simples amusements, et que chaque sculpture a un sens rituel ? A son esprit obtus de Blanc, comment dire qu'on a ouvré de telles images à même une pierre longtemps disparue, et maintenant retrouvée, et que de vendre ces figures mythologiques, pleines d'un sens caché, insultera peut-être la bonté et la générosité des dieux qui les attendent en guise d'offrande de la part des Inuit ?

Il rirait peut-être, il rirait sûrement. Les Esquimaux ne se sont que bien rarement vidé les reins et les coeurs, même devant les missionnaires. Ils ont eu la pudeur de leurs pensées et rares sont les Blancs qui l'ont pu percer. Ceux-là, ceux qui ont réussi, à vrai dire sont presque des Inuit qui s'ignorent, bien sûr, mais qu'une mystérieuse télépathie unit aux autres Inuit, aux vrais. Cas extrêmement rares que ceux-là, plus accidentels que méthodiques, qui ne se sont retrouvés qu'à deux ou trois reprises depuis un siècle.

Mais Jones n'est pas de ce sang, Agaguk l'a tôt senti, et ce serait peine perdue que de lui raconter les événements des derniers mois. Pourrait-il saisir l'importance du départ de Tayaout, et de ses graves et merveilleuses conséquences ?

Il y a tant de choses que l'on ne peut jamais dire à un Blanc...

Et pourtant, Agaguk songe aux dollars. Ce serait là un pactole facilement acquis pour qui saurait le concilier avec l'observance des rites.

Une pensée toutefois venait à Agaguk, et il ne savait plus comment s'en défendre ; il y voyait une grande logique, mais les autres Inuit s'y rallieraient-ils ?

Ainsi, les dieux ne seraient peut-être pas offensés de voir les Inuit tirer profit des sculptures, pourvu que les Blancs ne sachent jamais leur valeur rituelle. Pourvu, à la fin, que les mains ouvrent la pierre et la façonnent selon les modes voulus, déjà l'acte de propitiation serait accompli. Le reste importait moins : les figures de stéatite n'ont pas à être autrement utilisées. C'est l'acte de sculpture qui compte, c'est le façonnement lui-même, et rien d'autre. Les dieux exigent des gestes. Même lorsqu'un Inuk dispose trois pierres en triangle approximatif par terre, pour calmer les colères divines, il sait bien que la pierre ainsi placée n'a aucune importance, mais que tout tient au geste accompli, de la pousser du pied ou de la main dans la position triangulaire.

Et rien autre.

Cela devrait être ainsi pour la sculpture...

Qu'en dirait l'Aveugle ?

Qu'en dirait même Tayaout, peut-être plus imbu des rites et de la tradition que ne l'est Agaguk lui-même ?

Il hésita encore. Ira-t-il jusqu'à vendre l'image, quitte ensuite à risquer la colère des dieux ?

Ou même la colère de l'Aveugle lorsqu'il apprendra ce qui s'est passé aujourd'hui dans l'iglou ?

— Moi, continue Jones, je répète ce qui me tient le plus à coeur : je vois ici de très belles sculptures et je sais que dans mon pays plus au sud, les gens seraient heureux de pouvoir les contempler jour après jour. Et je sais que vous avez tous besoin d'argent, ici. Je suis prêt à payer une bonne somme pour chacune des sculptures. Si tu crois que j'ai raison, finissons-en tout de suite. Si tu préfères réfléchir, dis-moi quand nous pourrions nous voir de nouveau.

Agaguk avait écouté le long discours en hochant la tête à plusieurs reprises. Quand il eut la parole, il étendit les mains et dit :

— Ce que je ferai, moi, les autres voudront en faire autant. Mais je peux refuser et me tromper. Voilà pourquoi je voudrais réfléchir et prendre conseil.

Jones avait dû prévoir une telle réaction, car il se leva sans insister et prit congé, tout en disant :

— Je reviendrai demain.

Quand il fut parti, Agaguk resta longtemps songeur. Il s'en voulait de n'avoir pas accepté l'offre du Blanc. Il se persuadait toujours davantage, à mesure que les minutes passaient, que nul dieu ne serait offensé de voir les images rituelles s'en aller dans les lointains. Puisqu'ils sont dieux, n'ont-ils pas dominion au-delà de tous les confins et dans tous les mondes habités ?

Etant donc partout où bouge l'air et scintillent les étoiles, ils apercevront les formes de la pierre-fée où qu'elles soient et les sauront issues des mains des Inuit, s'ils ne le savaient pas déjà...

Tout cela portait à penser profondément et la décision ne devait pas être prise à la légère.

Agaguk était conscient que le sien serait le premier pas, qu'on en tiendrait compte dans tous les groupes d'Inuit et que nulle indifférence bénigne ne serait montrée : ou il serait honni d'avoir cédé l'objet rituel à un Blanc, ou il en serait béni. Ce n'était pas une aventure en faux-fuyants et dénuée de tout risque véritable. Chacun évaluerait la chose selon son propre émoi, et y verrait mal ou bien, mais sans moyen terme. C'était le risque, il était réel, car il proposait la joie ou la fureur, à savoir laquelle des deux passions prévaudrait. Il était aussi traditionnel que la majorité ayant opté pour un avis, à la fin tous se rangeraient à cet avis ; qu'il y eût joie et ce serait liesse. Mais qu'il y eût fureur, et Agaguk, jaloux de son prestige, serait rejeté de tous. Parti déjà, autrefois, volontairement exilé, volontairement solitaire, quand il avait réintégré la tribu c'était par un besoin qu'il ne s'était même pas caché. Il n'y avait pas que l'avantage du ventre. Beau prétexte que celui-là ! Quoique vraiment fondé sur le manque et la famine, il venait quand même à point et servait bien l'autre faim, l'autre famine, l'autre manque, ressenti depuis longtemps par Agaguk et qu'il assouvissait du même coup, celui de marcher droit et tête haute parmi les siens, d'avoir le nom de bon chasseur, d'être fier d'un fils comme Tayaout. Etre quelqu'un, en somme, habiter parmi les siens, participer aux discussions.

Or, si de succomber aux appels du Blanc qui se nommait Jones lui enlevait du coup ce qu'il avait tellement désiré posséder, sa place marquée dans le groupe, son importance ? Voilà où s'enracinait le conflit intérieur, dans la simple peur, la peur panique de devoir reprendre un même chemin, retrouver là-bas, au bord de la lointaine rivière, le tumulus où il a érigé successivement la tente et l'iglou durant son long exil, redevenir un aubain parmi les siens, perdre ce qui lui était devenu si cher.

Mais aussi, car le revers valait l'avers, il pouvait triompher malgré tout, accomplir un geste acclamé, vendre la statuette et donner aux siens le privilège de vendre à leur tour, tous devenus profiteurs, émargeant de la naïveté des Blancs qui prétendraient admirer des amulettes de pierre morne, grossièrement façonnée, sans souci d'art véritable.

Cela, cette pensée, tendait à dominer en Agaguk la tentation joyeuse d'accepter les dollars, d'en soutirer d'autres encore, et de voir tous les Inuit en soutirer à leur tour, et selon leur bon entendement.

Quarante-huit heures durant Agaguk pesa et soupesa le dilemme, malgré les instances de Jones qui vint le harceler deux fois privément, ou l'arrêtant dehors, le retenant par la manche, insistant :

— Il faut te décider vite. Le temps presse !

Avait-il subtilement saisi, ce Blanc, tout ce que la décision d'Agaguk comportait d'aléas, et comprenait-il que sa propre entreprise d'exportation de sculptures esquimaudes vers les villes du sud dépendait précisément de la décision d'Agaguk ?

Il s'acharnait, en tout cas, il n'allait plus attendre.

— Je pars bientôt, dit-il. Je ne partirai pas mains vides.

Dernière objurgation, à l'ultime rencontre :

— Si ce n'est pas toi, ici, ce sera un autre.

Et il ajouta :

— Ici, ou ailleurs.

Peu enclin à se laisser dominer du coup par les Blancs, porté plutôt à s'en méfier et à les fuir, Agaguk se raidissait d'abord, secouant même le bras, la main du Blanc lorsqu'ils se posaient sur lui avec trop d'insistance. S'il mollissait ensuite, c'était en songeant aux dollars dont il avait tant besoin, dont ils avaient tous tellement besoin. Il en avait peu vu, de ces billets magiques, dont il ne comprenait pas vraiment qu'ils aient autant de valeur, mais il se souvenait de leur couleur verte ou bleue, croyait se souvenir de leur texture entre les doigts. Il savait aussi tout ce qu'ils achetaient au poste de la H.B.C. et combien plus le commis de l'endroit s'inclinait devant les billets que devant les pelleteries, surtout en années d'abondance.

Et il mollissait, donc.

Jusqu'à dire, finalement :

— Je répondrai demain.

— Sûrement demain ?

— Oui, demain.

L'engagement était pris. Il n'y aurait plus à tergiverser. Tous les sages importants de la tribu partis, seul à pouvoir prendre sa décision, sans aide, sans palabre, sans consultation, Agaguk devrait quand même, par le covenant accepté, déclarer demain son intention...

111

Le soir, dans l'iglou, il s'installa en face d'Iriook, sa femme.

Pendant longtemps, il contempla le feu du réchaud posé par terre entre eux. Déjà, Iriook comprenait qu'en son homme se posaient de pesants dilemmes, dont elle ne savait pas la nature, mais qu'elle reliait à ces entretiens qu'il avait eus, nombreux depuis quelques jours, avec le visiteur blanc du nom de Jones. Or, qu'était-il advenu de bon dans la vie d'Agaguk qui émanât des Blancs ?

Sagement, toutefois, elle attendit le bon vouloir d'Agaguk à confesser son mal.

Il mit une bonne heure et déjà Iriook se demandait si le sommeil et la fatigue ne la gagneraient pas auparavant. Quand il parla, il ne vint pas aussitôt à ce qui était en lui.

— Ils ne reviendront pas avant la prochaine lune...

(On eût dit qu'il suivait le fil d'une pensée intérieure...)

— A'ya, dit sourdement Iriook.

Son gros visage placide luisait dans la pénombre blanche de l'iglou. Accroupie sur ses mollets, les mains en manchons dans l'anorak, elle fixait Agaguk de ses yeux bridés et immobiles.

— C'est un long voyage, dit Agaguk.

Cela disait sans dire, et pouvait évoquer la marche interminable en arrière des chiens, en droite ligne vers un but d'éloignement, la troupe layant minutieusement une coursière étroite, sorte de sillon marqué dans le revêtement de neige sur la mousse gelée.

Et aussi une doutance inconsciente de l'habileté du maître de marche à embouquer dans les bons canaux de vent sur cette plaine sans amers, choisissant ceux-là mêmes qui mènent au juste terme de l'itinéraire.

— C'est un bien long voyage, admit Iriook.

Agaguk bougea un peu, écrasa le mégot de sa cigarette, sortit aussi le sac de tabac et le papier pour en rouler une autre. Et Iriook voyait bien qu'il masquait son émoi par des gestes d'automate, une occupation des mains camouflant sa préoccupation d'esprit.

— S'ils étaient revenus, dit-elle après un temps, ce serait mieux ?

Agaguk leva brusquement le regard vers Iriook et l'observa d'un oeil soupçonneux :

— A'ya, dit-il, tu parles trop.

— Je parle pour continuer tes mots, dit Iriook calmement.

Agaguk sembla hésiter, puis il hocha la tête.

— C'est le Blanc. Celui qui se nomme Jones et qui vient dans son avion.

— Oui, dit simplement Iriook, ne trahissant aucune impatience, ne montrant aucune divination préalable.

— Il est venu dans l'iglou.

— J'étais ailleurs, fit Iriook, mais on me l'a dit.

Agaguk chercha des mots et n'en trouva point. Alors, il prit dans sa niche l'image de Tayaout comme il l'avait taillée dans la pierre. Longtemps, il la tourna et retourna entre ses doigts, la soupesant, semblait-il, la scrutant.

Iriook comprit confusément que l'inquiétude de son homme était reliée à la statuette :

— Tu songes à la pierre de mer ? dit-elle.

Agaguk aspira une longue bouffée de fumée, l'expira, puis plaça la sculpture par terre, devant lui.

— Jones... dit-il.

Le son était neuf en sa bouche, difficile, déformé et bâtard.

Iriook inclina la tête en assentiment.

— Le Blanc ?

— Oui.

— Il a vu l'image de Tayaout ?

— Oui.

— Et puis ?

— Il veut l'acheter contre des dollars.

— Pourquoi ?

— Il dit que chez les Blancs, au sud, les gens aimeraient avoir ces images.

Iriook sembla lentement se raidir, elle renvoya un peu les épaules en arrière. Soudain, le dilemme entrait en elle à son tour, l'habitait comme il habitait Agaguk. Elle comprenait du coup l'angoisse de son homme. Une pareille angoisse se formait dans sa pensée. Iriook n'était pas étrangère à la magie des dollars, et elle en savait l'importance. Or, pour une amulette, donner des dollars... ? Pour un simple objet de pierre sculptée ? Et pourtant, cet objet n'était-il pas, à la fois, puissant et divinatoire ?

— Pas seulement cette image, dit Agaguk, pas seulement celle-là...

— Ah ?

— Toutes les autres que je ferai. Celles aussi que pourront faire les autres, ici et dans les autres villages. Il veut tout acheter.

Le tiraillement s'intensifiait en Iriook.

— Combien paierait-il ?

— Pour celle-ci, dit Agaguk en montrant son oeuvre, deux de ses dollars, et autant pour chacune des autres, à tous ceux qui voudront lui en vendre.

Et subitement, sa propre raison triompha :

— Non, dit Iriook sèchement, non, il ne faut pas.

Immobile, mais un tremblement aux mains, Agaguk observait sa femme.

— Il ne faut pas, dit Iriook. La pierre de mer est divine, elle nous a été redonnée et c'est ton fils Tayaout qui a été l'instrument des esprits. Vendre ensuite ces

114

objets à des Blancs, cela offensera nos dieux, et Tayaout sera en colère.

Agaguk baissa la tête et resta silencieux.

A la lueur clignotante du réchaud, son visage défiguré montrait une sorte de tourment comme ne lui
en avait jamais aperçu Iriook.

Ce fut bien plus tard, au bout d'une longue cogita-
tion silencieuse, que l'Inuk enfin parla :

— Je n'ai mis que peu de temps à tailler cette image. J'en pourrais tailler beaucoup d'autres et il les
achèterait toutes. Et nous aurions des dollars comme
ça...

Il montrait le tas de ses mains, ses yeux brillaient
d'une étrange lueur.

— Nous pourrions entrer au magasin et tout acheter
selon notre plaisir. Nous donnerions aux petits ce
qu'ils veulent. Tu aurais beaucoup de coton et des
chaudrons de métal luisant. Tu aurais des ciseaux qui
taillent bien, des aiguilles plus longues, du fil plus fort.
J'aurais un fusil neuf, qui voit loin, et des couteaux
d'acier.

— Tu aurais le monde à toi, dit Iriook, et tu n'aurais
plus l'outremonde.

Agaguk haussa les épaules.

— Qui donc habite cet outremonde, dit Agaguk, et
quelle voix nous en parvient ? Nomme les gens, désigne les voix, dis-moi ce qui est dans cet outremonde
et la forme de son pays ?

Il n'avait de longtemps parlé aussi longuement, et
il se tut brusquement, intimidé par sa propre fougue.

Iriook déclara calmement :

— Fais comme tu l'entends, Agaguk. Mais si des
malheurs surviennent, ne t'en prends qu'à toi-même et
souviens-toi alors de ce que je t'ai dit ce soir. Il ne

faut pas vendre l'amulette au Blanc, car les dieux seront en courroux.

Contre toute habitude et malgré le grand froid qui s'appesantissait sur la nuit sans vent, Agaguk se leva et sortit, allant marcher, se vider de ses bouleversements.

Dehors, près du poste de traite et de biais avec la mission, il rencontra Jones, le Blanc aux dollars magiques.

Impulsivement, Agaguk vint près du visiteur.

— Je n'attends pas à demain, dit-il. Ce que tu veux, je te le vends, et je te vendrai les autres que je ferai.

Il avait fourré la statuette de stéatite dans la poche de son parka, avant de sortir de l'iglou, et il la tendit d'un geste presque violent à Jones qui semblait interloqué.

— Je veux les dollars, dit Agaguk.

Jones fouilla dans ses vêtements, en sortit les billets. La nuit était étoilée, claire, presque lumineuse. Agaguk examina de près les rectangles de papier vert, les reconnut.

— Ce sont des dollars, dit-il. Il y en a deux.

— C'est ce que j'avais promis, fit Jones.

— A'ya, murmura Agaguk. Tu tiens parole.

— Et les autres sculptures ?

— Tu les auras.

— Et celles des autres Inuit ?

— Je ne sais pas.

— Tu leur diras que je les veux ?

Agaguk se détourna à demi sans répondre.

— Tu leur diras ?

Mais Agaguk eut une sorte de geste violent des bras, une marque soudaine d'exaspération, et il prit la fuite sans répondre, courant à moitié courbé dans la neige, comme un animal.

116

Quand il rampa dans l'iglou, à bout de souffle, il se laissa choir sur le sol, les dollars enserrés dans son poing crispé.

— Qu'ils viennent, cria-t-il, qu'ils m'écrasent ! Qu'ils essaient de m'écraser, je n'ai pas peur !

Il se leva, se mit à danser sans rythme, une suite de gestes fous. Et il brandissait le poing vers le dôme de l'iglou, vers les hauteurs du ciel.

— Je n'ai pas peur. Je n'ai peur de rien. Je suis Agaguk, je suis plus fort que tout.

Dans ses gestes désordonnés, il échappa les dollars qui churent en tourbillonnant sur la flamme du réchaud et s'y consumèrent pendant qu'Agaguk, sidéré, interrompu dans sa danse stupide et figé comme une statue, contemplait le désastre d'un air hébété.

Iriook se balançait doucement d'avant en arrière, les mains à plat sur les cuisses, les yeux fermés, émettant les sons monotones des femmes de sa race, contemplant l'avant-geste de la mort.

— A'ya, A'ya, A'ya, A'ya...

Et ne savait pas si bien dire.

VI

Quand les hommes de l'expédition revinrent, Taya-out n'eut pas loisir d'apprendre la vente effectuée par son père Agaguk.

Il ne fut que deux nuits en l'iglou, et passa ses jours dehors, allant ici et là où rassembler à nouveau le fourniment d'un autre voyage.

Cela avait été résolu en lui durant le cheminement de retour : dès arrivé, il repartirait, seul cette fois, vers l'île à la pierre magique, mais à son propre compte pour en rapporter une charge qui serait à son usage propre, qu'il ne partagerait avec personne.

Des impulsions bizarres l'animaient. Il ne s'était jamais autant senti l'ordonnateur des événements. Lui, le découvreur de la pierre, guidé par des forces mysté-rieuses, se devait désormais de sculpter plus que les autres encore. Il lui revenait d'être un artisan achar-né et infatigable, de vouer ses heures de chaque jour à extraire de ce roc friable tout ce qui y dormait, de dénuder ces âmes innombrables, d'accomplir la mis-sion pour laquelle, par-dessus tout autre Inuk, lui semblait-il, il avait été choisi.

Il convenait donc qu'il allât sans tarder quérir à l'île du Labrador une provision de long oeuvre, de quoi obéir aux commandements secrets en lui. Sans donc s'attarder inutilement, il rassembla un équipage de chiens reposés, inspecta et arrima le traîneau où s'entassait le fourniment d'armes, de munitions et de provisions nécessaires durant le long trajet.

Revenu, il sculpterait sans relâche, ne chassant qu'arrivé au besoin extrême, tout entier voué à son dessein.

Il partit donc, au troisième matin suivant son retour, et ne sut rien de ce qui s'était passé entre son père et Jones.

Il en fut autrement dans la tribu. La semaine à peine écoulée depuis le retour d'Ayallik, de Tudlik et des autres, que d'iglou en iglou l'on savait que le Blanc Jones achetait pour deux dollars les sculptures de chacun, et sans y regarder deux fois.

Il y avait une opinion que craignait Agaguk, et quand il avait révélé à Ayallik sa transaction avec le Blanc, il avait même dit :

— Il ne faudrait pas que Tudlik le sache.

Mais comment empêcher une telle chose ?

— Il le saura, dit Ayallik.

— Il le saura, murmura Agaguk, et il ne faudrait pas qu'il le sache.

Chez les hommes du voyage, constituant le noyau valide de la tribu, si la surprise avait été tout d'abord angoissée, elle s'était assez vite muée en une sorte de bouleversante cupidité.

Et pour Agaguk, la cupidité se mêlait davantage à un dépit profond, au souvenir de ce feu qui avait consumé les deux premiers dollars. Heurté d'abord dans tout le grand fond superstitieux de sa race, épouvanté par ce qui semblait être un présage des dieux, secoué jusqu'à la limite par l'étrange quiétude d'Iriook et son soudain mépris, Agaguk avait passé une nuit terrible, ne dormant que par étapes, torturé de cauchemars, cent fois éveillé en sursaut, dressé sur son séant, le corps en sueur. Il était arrivé au matin aussi fourbu que s'il avait été bâtonné par les pires ennemis durant des heures.

La lumière du ciel, qui était ce jour-là magnifique et sereine malgré la pénombre claire de la nuit continuelle de cette époque de l'année, avait rassuré un peu Agaguk. On voyait l'horizon, la plaine était visible en ses moindres précisions, c'était — autant que se peut faire dans ces conditions — un beau jour.

Il n'y eut pas de déchirement du firmament, nul fantôme ne surgit du Nord, la vie se vécut comme d'habitude et si la nuit avait été pleine de présages, aucun n'apparaissait maintenant, tout était serein.

Et Agaguk montra le temps à Iriook.

— Vois, dit-il, il n'y a rien. Tu n'avais pas raison. Et nous aurons d'autres dollars.

Iriook secoua lentement la tête et baissa le regard sans mot dire. Qu'importait donc la bravoure temporaire devant une accalmie des courroux divins ? Et n'y a-t-il pas, au royaume des vents, avant les grands blizzards, une paisible assemblée des brises dans un jour en apparence miséricordieux ? Ces jours-là, les inconscients en prédisent la continuation sans fin et crient au printemps revenu, alors que pendant la nuit d'ensuite, accourt du Pôle la pire puissance de toutes, le blizzard, qu'on eût cru disparu à jamais et qui se cachait derrière le faux-semblant de la veille.

N'en pouvait-il être ainsi, tout pareillement, de la colère des esprits ?

Mais à quoi eût servi d'en avertir Agaguk à nouveau ? Il croyait à sa propre force, il n'imaginait pas l'astuce des dieux, il les bravait dans toute son ignorance et Iriook ne pouvait qu'invoquer des clémences souveraines, s'adressant à des indulgences étranges dont elle ne savait vraiment ni la forme, ni le nom ; à des forces aussi dont elle connaissait par toute la tradition entendue depuis son enfance, la méchanceté, la hargne, tout autant que l'imprévisible générosité.

Il arrivera malheur, tout le prédit en elle, et elle se sent bien impuissante désormais : Agaguk a vendu la pierre ouvrée. L'acte est commis. Le mal a été accompli. Personne ne pourrait plus maintenant reculer. S'il faut subir un châtiment, celui-ci viendra avec autant d'inévitabilité que celle des saisons ou des climats. C'est contre toutes les forces inconnues qu'a péché Agaguk, et contre toutes les forces inconnues, si fort se prétend-il, ni lui ni d'autres entretenant les mêmes prétentions, ne pourraient rien.

Il n'y avait plus qu'à attendre.

Et se cachant derrière un visage trop calme, ne montrant qu'un regard terne, Iriook avait entrepris de vivre l'attente dans la plus totale résignation.

Pendant que raisonnait ainsi Iriook, son homme Agaguk poursuivait les palabres dans tous les iglous où il allait. L'argument en était simple : un Blanc achèterait les images de pierre. Les dieux, honorés par le geste même des sculpteurs, n'avaient cure ensuite de ce qui arrivait aux amulettes. Celles-ci pouvaient donc être vendues au Blanc sans crainte.

Le mot de toute fin, la clé-sésame des indécisions, Agaguk le disait ainsi :

— Nous tremblons pour rien. Nous savons extraire l'âme de la pierre. En quoi nous ne sommes plus de simples hommes. Les dieux, où sont-ils ? Est-ce que nous ne serions pas des dieux nous-mêmes ? Pourraient-ils, s'ils le voulaient, avec leurs mains de nuages, de vent et de brouillard, avec leurs tentacules de grandes vagues ou la force inerte de leurs banquises, tailler la pierre comme nous le faisons ? En changer la forme et libérer son âme ? Ne serions-nous pas nous-mêmes des dieux ?

Et il ajoutait, fervent :

— Je crois que nous sommes récompensés et bénis. Les dollars du Blanc, la voilà notre récompense de savoir nous élever plus haut que les dieux.

De telles paroles eurent partout les effets qu'espérait Agaguk : quand d'autres vendraient à leur tour les sculptures au Blanc, lui, Agaguk, serait épaulé, et s'il était blâmé de sa témérité, ayant agi seul, le commerce entrepris par les pauvres, à sa suite, rejetterait le blâme sur la communauté entière.

Si blâme il y avait.

— Je sais que j'ai raison, se répétait Agaguk. Les dollars de ce Blanc sont justement notre récompense pour savoir à nouveau utiliser la pierre divine.

Ayallik fut le premier à suivre l'exemple d'Agaguk. Il vendit deux statuettes au Blanc. Puis Nuliak, Popok, d'autres, firent de même.

Agaguk, de son côté, se remit à la tâche et sculpta rapidement à la suite trois figurines de stéatite. Il devina l'âme d'un phoque, il put extraire la forme dormante de deux Inuit chassant en kayak. Il libéra patiemment la représentation d'un Inuk dépeçant un morse.

Pour les trois oeuvres, Jones lui remit six dollars.

Pendant le mois entier que dura l'excursion solitaire de Tayaout, la tribu produisit soixante sculptures et compta sa richesse neuve, pendant que le Blanc empaquetait minutieusement et avec mille précautions ce qui devait être la première manifestation de l'art primitif esquimau dans les contrées du sud, dont l'impact a encore aujourd'hui d'émouvantes répercussions.

VII

La tête embéguinée du grand capuchon doublé de renard, le traîneau en grand arroi, bravant toute neige drue au visage, impavide et mêmement patient, Tayaout reprit ses courses et sut trouver, sous la garde stellaire, le juste degré et le juste méridien, orientant le chien de tête engainé de glace aussi droit que la trajectoire de la balle du bon chasseur, qui frappe au coeur.

Ce sur quoi il mit cap, il y toucha presque les yeux fermés, ne donnant à la bonne marche qu'une part de pauvre, et laissant toute sa pensée errer à travers ses propres méandres de merveilles.

Qu'en peut-il être autrement de celui qui a seize ans depuis hier et soudain confère à tout son peuple un droit recommencé d'offrande à des dieux si longtemps négligés ?

Malgré le vent et ses jeux de grimelin, malgré le froid, maître d'ouvrage réel de toutes les pérégrinations, capable même de faire abstraction de ce qui l'entourait au profit de ses propres bouleversements intérieurs, Tayaout avait accompli bellement l'itinéraire tracé et n'avait eu pour tout mal que les lassitudes habituelles : journée faite, trajet accompli, besoin prévu de forces à récupérer.

En lui, pourtant, les bienfaits de ce voyage solitaire se faisaient déjà sentir. Il avait été auparavant ému, jusque-là bouleversé et émerveillé : toutefois, une confusion régnait encore, une sorte d'ignorance des desseins qui semblaient lui avoir été confiés, dont il était déjà l'ordonnateur, mais en toute inconscience.

Un soir après l'autre, et après la journée de méditation, alors qu'en gestes de pur automatisme il conduisait son équipage, Tayaout voyait se préciser mieux ce qui était attendu de lui. Pris d'abord d'un orgueil immense, il arrivait petit à petit à restreindre la mission à ses bonnes dimensions : il était désigné, certes il n'en pouvait plus douter. Mais cela ne lui conférait pas pour autant des droits de régnant, empiriques et pourtant souverains. S'il s'était cru habilité à quelque régence possible sur les reins et les coeurs de ses congénères, il voyait bien que la tradition de liberté individuelle des Esquimaux ne devait être rompue cette fois-ci pas plus que les autres. Que nul événement, au déroulement des millénaires, n'avait jamais reporté sur un homme des autorités de chef. On le disait à l'envi, dans les chansons et dans les récits, et nul ne se fût arrogé de pareils privilèges.

Retrouver la pierre divine était un événement d'une force incontestable ; d'en être le découvreur désigné semblait un bien grand honneur. Tayaout en pouvait convenir et il savait que les Anciens de toute la nation des Inuit en devaient convenir à leur tour. Et toutefois, il était d'impérieuse nécessité que cela n'aille pas plus loin ; il fallait savoir accepter l'honneur, en user agréablement pour tous, servir les fins et non les asservir. Tayaout, ainsi, pouvait prétendre à la gratitude, il ne pourrait jamais prétendre à la domination issue d'une telle gratitude.

Savant de ce seul savoir pouvait suffire ; la confusion se dissipait. Car en Tayaout l'âme d'homme était péremptoire, elle avait tôt manifesté ses orgueils au lendemain de la belle découverte. Elle s'était dressée en toute fierté. Que serai-je donc ? Force d'Inuk dominant ma race ? Mais déjà il pensait autrement, et retrouvait des humilités qu'il ne se connaissait point. N'être qu'instrument et non la main maîtresse ; n'être que lui-même, tel que toujours il a été, avec seulement une assurance en plus, celle d'être observé par les dieux, jaugé et pesé, et chargé de mission pour qu'il l'accomplisse en silence et sans gloire.

On n'arrive pas à un tel concept sans de tortueuses démarches de l'âme. Que Tayaout en ait ressenti la nécessité ne pouvait plus faire aucun doute, mais au prix de quelles tortures — puisqu'il faut le dire — savoir se rabaisser au rang d'homme, quand on a respiré l'air des demi-dieux et partagé leur hautaine joie ?

Au lé des premières eaux avant l'île magique, Tayaout talonnait déjà la neige avec plus de contentement. Il savait désormais n'être pas venu chercher ici quelque monnaie d'échange pour s'assurer une puissance à laquelle il n'avait aucun droit d'homme. Il savait plutôt que la récolte à cueillir sur cette île n'était que son humble contribution à lui au retour des dieux parmi les Inuit, qu'il n'en pouvait être plus, qu'il n'en serait jamais plus.

De sa toute jeune vie, il connaissait la première joie humble.

Chaque pierre entassée sur les traîneaux ne fut donc plus qu'une raison de labeur et de propitiation et non un trésor à revendre...

Tayaout venait de franchir une autre étape de son itinéraire d'homme. Déjà demain, tel qu'il l'entrevoyait, il s'intégrerait à la tribu et à la nation, sans jamais rechercher de nouveau l'évasion vers des éloignements stériles. Le cycle était complet, le cercle refermé : Tayaout le solitaire avait conquis place d'homme en tous les parages d'Inuit. Rien ne pourrait plus prévaloir contre cet état auquel il était parvenu par ses propres moyens, à travers ses propres angoisses, au prix de ses propres dangers.

Homme, homme lige, pleinement acquis à la tribu, porteur de pierre divine, artisan et congénère, mais homme, mais rien de plus.

Et rien de moins.

VIII

Celui nommé Jones trouva vendeur à volonté, les premières hésitations vaincues.

Il ne fut pas d'Inuk — hormis Tudlik — qui ne se mît à l'oeuvre pour former fébrilement les statuettes que le Blanc payait si bon prix. Les billets verts envahirent les iglous. La tâche devint une frénésie, la cupidité un mal virulent.

Quand finalement Jones s'envola dans son avion, il emportait avec lui l'invocation à soixante dieux, objets de froide pierre pour ce Blanc, mais acte rituel profané pour tous les Inuit du village.

Quand le grand oiseau mécanique disparut vers l'horizon, qu'on n'en aperçut même plus la trace, il se fit un long silence dans les iglous.

Nul n'eût exprimé ce qu'il ressentait de sourde angoisse. On tenait caché en soi le secret de cette inquiétude. Mais les regards se portaient vers les infinis, il y avait du tremblement dans les mains des hommes, et ici et là des femmes gémissaient doucement, comme elles le font parfois au seuil de l'épouvante.

Ayallik fut seul à dire ses mots à lui, qui étaient aussi ceux des autres, mais que l'on ne voulut point d'abord admettre :

— Pourvu que les Esprits ne soient pas offensés.

Or, quand était là un Blanc généreux de ses dollars, il n'était que de tâter les précieux billets sous le parka, de les savoir à soi, de rêver aux délices à se procurer, pour acquérir tous les courages.

Qui n'avait pas supputé ainsi le rendement de ce gagné imprévu tout autant qu'imprévisible ? Traduit en balles, en armes, en objets futiles, le papier vert prenait une valeur de merveille. De n'avoir qu'à entrer dans le poste de la H.B.C., d'y présenter les dollars, de choisir à sa guise et sans gêne l'objet de ses caprices, est-il donc tant de joies semblables dévolues aux Inuit ? Par le seul fait de quelques misérables passes d'outils d'acier dans la pierre friable... ? Extraire une forme et la parfaire, en temps d'homme, bien peu ; en effort, presque rien. De la patience, peut-être, de la concentration, une certaine habileté, mais ce sont des tâches risibles, comparées aux longs aguets à portée du phoque qui refuse de se montrer hors de l'eau. Nommer les chasses, les décrire, en énumérer les épuisements et les dangers...

Au chaud de l'iglou, sans plus de gestes que ceux d'un enfant qui s'amuse, créer un objet aussi simple, et pourtant allumer chez le Blanc une convoitise telle qu'il éparpille une fortune à travers toute la tribu, est-ce bien là un acte répréhensible ? Puisqu'il vise au simple bien-être des Inuit ?

Cela était l'excuse quand Jones était à portée de dollars. Donner d'une main, recevoir de l'autre... Une griserie qui conférait toutes les audaces, comme celui qui s'enivre pour savoir dire ce qu'il ne saurait dire autrement, accomplir des actes jusque-là retenus... Une même ivresse, à la fin, tout aussi téméraire, tout aussi pernicieuse.

Mais le Blanc parti, il en fut tout autrement chez les Inuit. La griserie était apaisée, la source de dollars était subitement tarie, et comme il avait fallu bien peu de temps pour que ceux-ci soient passés aux mains de la H.B.C. en échange le plus souvent, de pacotille et de colifichets sans valeur, les Inuit, mains vides, pouvaient mieux apercevoir l'étendue de leur faute.

Il n'y eut pas de cataclysme, on s'empressa bien d'ailleurs de le souligner dans les iglous, mais un air nouveau sembla peser sur le monde, plus oppressant, plus angoissant.

Tudlik n'avait rien vu, bien sûr, et il n'avait rien entendu...

Il fallut le remords d'Ayallik et sa confession à l'Ancien pour que tout se sache.

— J'ai mal agi, dit Ayallik.

Il détournait le regard devant les prunelles éteintes du vieillard, dont pourtant les yeux semblaient fixer l'interlocuteur et le foudroyer.

— J'ai mal agi, répéta Ayallik.

— D'autres aussi ont mal agi, dit Tudlik. Tous les autres ?

— Oui.

— Qui a commencé ?

Ayallik ahana, se chercha des mots, une contenance, quelque chose qui pût convaincre l'Aveugle.

— Réponds, fit Tudlik sèchement.

— Je ne sais pas.

— Tu le sais... C'est toi ?

— Non.

— Si ce n'est pas toi, tu sais qui a cédé au Blanc le premier. Tu le sais, parce que tu as suivi un exemple, et pour suivre un exemple, il fallait que tu saches d'où il venait.

131

— C'est quelqu'un... je suppose. Je n'étais pas seul... nous nous sommes tous décidés comme ça.

— Comme ça...

— Oui.

— Et vous saviez pourtant qui avait commencé.

Tudlik a de la puissance, on le pressent. Il n'a jamais exercé de pouvoir, il n'a jamais été méchant. Mais il est infirme, et il est vieux. Cela le fait autrement de tous. On a toujours été terrorisé par lui, par son opinion des choses, des actes, et des gens. On respecte sa parole parce qu'on le craint. Et le voilà tel que jamais Ayallik ne l'a vu, dressé sur ses hanches, le corps raidi, le visage effrayant à voir. Il y a de la colère dans son attitude, mais aussi une grande épouvante.

"Il sait", se dit Ayallik en lui-même. "Il entend une voix. Il apprend la colère des dieux..."

— Je ne peux pas mentir, fit soudain Ayallik, c'est Agaguk qui le premier a vendu une forme de pierre.

— Agaguk...

— Oui.

Ayant dénoncé son ami, Ayallik se sentit plus rassuré. Avait-il gagné un peu d'indulgence des puissances de l'infini ? Disaient-elles, à cet instant même, au coeur de Tudlik, leur miséricorde envers lui, Ayallik ?

— Il a cédé au Blanc, dit Ayallik, soudain volubile. Il a vu les dollars et il n'a pu résister. Après, il nous a convaincus de faire de même, que bientôt nous serions riches.

— Où sont tes dollars, Ayallik ?

L'Inuk hésita, n'osant répondre.

— Peux-tu les mettre dans ma main ? Je n'ai jamais touché un billet des Blancs.

— Je n'en ai plus, murmura Ayallik.

— Plus un seul ?

— Non.

— Combien en as-tu reçu ?

— Huit. J'ai taillé quatre formes, le Blanc les payait deux dollars chacune. Cela faisait huit dollars.

— Et tu n'en as plus ?

— Non.

— Où sont-ils ?

Ayallik soupira :

— Au poste de la H.B.C.

— Tu les as dépensés ?

— Oui.

— Pour acheter de la nourriture ? Des vêtements, des médecines pour tes petits ?

— Non.

Il se fit un long et pesant silence. Ayallik, terrorisé, s'était recroquevillé sur lui-même. Il eût voulu trouver le courage de se jeter par terre, de ramper hors de l'iglou ; il se sentait assez petit pour passer jusque dans le halot de quelque lièvre de broussailles. Et pourtant, il restait figé, incapable du moindre geste, s'attendant à tout instant à ce que Tudlik déverse sur lui toutes les malédictions, évoque des dieux vengeurs qui le foudroieraient là même où il se tenait, impuissant.

Mais la voix du vieillard fut calme, presque étale comme un avant-jusant, et toutefois impérieuse et sans réplique.

— Va chez Agaguk. Dis-lui de venir ici.

Un temps.

— Je peux partir ? dit Ayallik.

— Je te le dis : va chez Agaguk. Porte-lui mon message.

Subitement, Ayallik se précipita vers le tunnel de l'iglou. Dehors, il courut à toutes jambes vers l'iglou d'Agaguk et d'Iriook, à l'orée du village.

— Voilà, dit-il, Tudlik te demande.

Il avait surpris Agaguk par sa brusque entrée, sa voix rauque, son essoufflement.

— Tudlik ?

— Il sait tout.

Agaguk hocha un peu la tête et regarda Iriook, qui cousait assise sur le banc de glace, les jambes sous elle, impassible comme toujours.

— Tu iras, dit Iriook.

Et c'était plus un ordre qu'une constatation. Il n'y avait pas le soupçon d'un doute dans cette voix nouvelle pour elle, une expression sans émoi ni chaleur, comme si déjà elle habitait un monde autre que celui de son homme.

Agaguk posa les deux mains sur les cuisses. Accroupi devant la lampe, son visage était méconnaissable. Il y vivait tout à coup une grande frayeur qui n'était pas là aux jours d'auparavant.

— Je n'irai pas, dit-il.

Ayallik tremblait.

— Tudlik est puissant, dit-il. Il te demande.

— Je n'irai pas.

Tiraillé d'une part par sa terreur, obstiné d'autre part, buté dans son refus, l'Inuk n'avait jamais paru si bouleversé. Lui qui pourtant savait si bien cacher sur son visage oriental tous ses émois et toutes ses passions. Surtout depuis le défigurement, qui enlevait tout reste d'expression vivante à sa bouche, à son regard, qui, ce jour-là, montrait pourtant des sentiments qu'on ne lui aurait jamais attribués auparavant.

— Tu as peur, constata Iriook.

Humectant le fil entre ses lèvres, elle observait Agaguk, mais avec un air de détachement total, comme si elle n'était plus que curieuse de voir quelle décision finale il prendrait.

134

Agaguk se redressa, tourna les yeux vers Ayallik.

— Dis au vieux, déclara-t-il, que je n'irai pas. Je n'ai rien à lui dire, il n'a rien à me dire.

— Agaguk...

— Voilà, c'est tout. Porte-lui le message ou non, cela m'est égal, je n'irai pas.

Pressentant pire que la mort et tremblant de tous ses membres, Ayallik s'en fut chez Tudlik.

— Il refuse de venir, dit-il.

— Il te l'a dit ?

— Il a dit qu'il ne viendra pas.

Le vieillard eut un sourire étrange sur les lèvres. Il leva une main au ciel, comme pour prendre quelque dieu à témoin, puis il murmura :

— Alors, très bien. Moi, j'irai.

* *
*

Agaguk, debout dans l'iglou, pétrifié, regardait l'Aveugle qui avait rampé par le tunnel d'accès et qui se relevait maintenant, tâtant de la main étendue pour retrouver les aires.

— Non, dit Agaguk... non !

— Je suis ici, dit Tudlik. Fais-moi asseoir.

Ce fut Iriook, toujours aussi calme, qui se leva, vint prendre le bras de l'Aveugle et le mena jusqu'à une peau pliée par terre, devant la lampe.

— Là, dit-elle. Et c'est devant la flamme.

Elle guida ses gestes, le soutint pendant qu'il replia les jambes et s'accroupit.

Une fois installé, il eut un soupir et leva le regard en direction de l'endroit où Agaguk se tenait toujours, incapable de se mouvoir.

— Viens devant moi, Agaguk, dit le visiteur.

Lentement, et comme avec effort, Agaguk s'accroupit à son tour, devant le vieillard, mais ses yeux n'osaient regarder en face.

— Tu as refusé de venir à mon iglou, dit Tudlik, alors je suis venu jusqu'ici.

Il se balançait doucement d'avant en arrière sur ses cuisses, le visage amer, sans un sourire.

— C'est une insulte, dit-il. Tu es jeune encore, et j'ai mes ans. Pourquoi n'es-tu pas venu ?

— Nous n'avions rien à nous dire, fit Agaguk.

— Vous aviez tout à vous dire, déclara Iriook, qui était retournée sur le banc de glace.

Agaguk se tourna vers elle, tremblant de rage subite.

— Je serai seul à parler ici !

— Tu avais peur d'y aller, dit Iriook.

— Je n'ai peur de rien, je n'ai peur de personne !

— Tu n'as peur de rien, répondit sereinement Iriook, tu n'as peur de personne. Sauf de toi-même. C'est la pire de toutes les peurs.

— Tais-toi !

— Mais moi, dit Tudlik, je parlerai.

Agaguk écumait de la bouche, il arrivait avec peine à se dominer.

— Et quoi dire ? fit-il.

— Ce que tu dois entendre.

— Je vis ma vie.

— Nous vivons tous notre vie, et nous vivons aussi celle des autres.

— Non.

— Parce que nous sommes ensemble, liés à jamais. Nous mangeons la viande d'un même phoque.

Un pour tous et tous pour un, à la chasse, à la pêche, dans tous les quotidiens...

— A'ya ! fit Iriook dans un souffle.

— Tais-toi ! lui cria Agaguk.

— Ce que nous faisons de bien est pour nous et pour les autres, continua Tudlik. Et ce que nous faisons de mal pareillement.

— Pour des dollars, dit Iriook, ils font le pire mal qui soit, mais ils ont mauvaise conscience.

Elle montra Agaguk.

— Celui-là a mauvaise conscience. Je voudrais le protéger, je te le dis, Tudlik, mais je suis moins puissante que les dieux. Je ne peux qu'attendre.

— Et parler ! s'écria Agaguk. Parler, tout dire, et ne rien dire. Comme du vent qui passe, de l'air. Des mots sans chair ni suc. Il ne nous est rien arrivé. Il ne nous arrivera rien.

Mais Tudlik, patient, secouait lentement la tête, attendant un silence propice.

— Voilà, dit-il, quand se fut tu Agaguk, voilà comment il en est. Il y a ceux qui mènent, et ceux qui sont menés. Celui qui a montré le chemin est responsable de ceux qui s'égarent. Ceux-là ont au moins l'excuse d'avoir été entraînés. Ayallik a vendu la pierre divine, il l'a fait parce que d'autres l'ont fait, et tous l'ont fait parce qu'un premier homme a posé le premier geste. Toi, Agaguk.

— Lui, dit Iriook, et les premiers dollars ont brûlé dans le feu de la lampe.

— Je dis, fit Tudlik, que c'est un bien grand mal. Il a fallu que tu sois bien sûr de ta force, Agaguk, pour ainsi défier les dieux.

— Je ne crois plus à ces dieux.

— Tu disais autrement hier encore.

— C'était moi qui étais entraîné alors, par des gens comme Ayallik.

— Ayallik ? Et tu n'as pas été le premier... ?

Une autre fois, la voix d'Iriook s'éleva.

— Il ment. Il est celui qui a montré le mauvais chemin. C'est lui qui a entendu le Blanc, qui l'a écouté, qui lui a obéi. Il a vendu la première sculpture.

Accablé, et soudain incapable de mater la femme nouvelle devant lui, terrifié aussi par Tudlik, l'homme Agaguk devint comme un enfant qui défie ses maîtres.

— J'avais envie des dollars.

Tudlik haussa un peu les épaules et montra une sorte de sourire triste, mais il ne dit rien et laissa peser le silence sur Agaguk.

Alors, l'homme se leva brusquement et se jeta vers la sortie. La voix d'Iriook fouetta l'air rance de l'igloo :

— Non ! Reste là !

Figé dans son geste, Agaguk se retrouva à quatre pattes, le regard tourné vers le vieil Aveugle.

— Reste, dit Tudlik à son tour, je n'ai pas fini.

Agaguk se laissa lentement retomber par terre, accroupi comme il l'était auparavant, mais plus loin de l'Aveugle.

— Que faut-il que je fasse ? dit-il d'une voix sourde. Je n'ai même plus de dollars.

Tudlik leva une main, imposa son propre silence.

— C'est demain qu'il faut construire, puisque tes hiers sont dévastés. Tu te dois à Tayaout.

Agaguk, épouvanté, se redressa :

— Pas lui... !

— Mais oui, lui, fit Tudlik, lui et nul autre. Ton propre fils. Il a retrouvé la pierre, c'est presque de la magie. Il a été mené dans son chemin, conduit vers le bon endroit. On voulait de lui cette découverte. Maintenant, il n'est plus tout à fait comme nous tous, il ne le sera jamais plus. Tu te dois à lui.

Agaguk, atterré, dodelinait de la tête comme quelqu'un qui tente de se remettre d'un choc inattendu.

— En quoi ? disait-il. Et pourquoi ?

— A cause de la pierre, répondit Tudlik. Ne sommes-nous pas, tous ensemble, différents en notre essence même, depuis le retour de la pierre ? Et c'est à cause de Tayaout.

Il s'interrompit un moment, laissa bien entrer les mots au coeur d'Agaguk, puis il continua :

— Alors, Tayaout reviendra. Lorsqu'il sera devant toi, il te faudra lui dire ce que tu as fait, le mal que tu nous as causé à tous, le mal que tu lui as causé à lui. Tu le lui diras dans les yeux, pour qu'il t'entende bien.

— Je ne peux pas.

— Il n'y a plus de choix. Je te le dis. Je vois ce que vous ne voyez pas. J'ai ma propre nuit, qui se continue toujours. C'est un monde. Et c'est un monde habité. J'y vois s'agiter des ombres. Quand je me retire là, dans mon noir, j'entends des voix, je saisis des mots. Parfois je sais qu'on me parle à moi, et j'écoute.

— Tu es puissant, murmura Agaguk. Ne profite pas de ta puissance.

— Je ne veux que des choses bonnes. S'il faut punir les mauvaises choses, j'en souffre bien, sache-le. Mais les punitions sont diverses, et parfois bien étranges.

— Il parlera à Tayaout, dit Iriook. Il sera là, où il est, et Tayaout sera devant lui. Il racontera sa faute.

— Non ! cria Agaguk. Tu le sais bien, Tayaout ne comprendra pas.

Une autre fois, Tudlik haussa les épaules et le même sourire lui revint.

— Est-ce que cela importe, qu'il comprenne ou non ? En ce qui te concerne ?

Il pointa le doigt vers Agaguk.

— C'est ta punition, vois-tu ? Et Tayaout saura faire ensuite ce qui est juste.

Agaguk tremblait.

139

— Il partira et ne reviendra plus.

— Et tu n'auras plus ton fils. C'est là ton mal, Agaguk ? Mais qu'importe ton fils, puisque tu n'as plus même tes dieux ?

Quand Tudlik fut parti, Agaguk alla s'étendre sur les peaux, la tête dans les mains.

Pour l'une des rares fois de sa vie, Iriook, le menton dans la poitrine, pleurait doucement.

Mais elle n'aurait su dire si c'était d'inquiétude qu'elle pleurait, ou d'épouvante.

Là-bas, sur sa plaine déserte et blanche, Tayaout fouettait les chiens. Il y avait eu dans le vent, depuis le midi, les premières odeurs du village, l'effluve à peine perceptible, le signe d'arrivée prochaine.

Suant sous son parka, le visage enflammé, Tayaout harcelait les chiens rendus, demi-morts de ce dernier effort que le maître leur demandait.

Au soir, il serait en vue des lumières et il dévalerait les dunes abruptes de la rive en criant sa joie du retour...

IX

Là-bas, donc, sur la plaine déserte et blanche, Tayaout manifestait sa joie du retour, et pourtant il lui semblait que cette joie n'était pas entière.

Une sorte de lourdeur s'était insidieusement posée sur lui et s'il torturait ses chiens pour qu'ils courent encore plus vite, d'autres doutes en lui semblaient vouloir le retenir.

Il y avait, dans l'image de lumière chaude et d'affection dont il entrevoyait déjà les contours dans son âme, des ombres sournoises qu'il ne reconnaissait pas et qui lui semblaient menaçantes.

— Hayyyyyaaaayyya ! disait-il aux chiens.

Et dans un même souffle, aux esprits il disait :

— Que tout soit fait dans la beauté ! Qu'il n'y ait rien de cruel ! Que nous soyons unis...

Et il n'aurait sûrement pu dire si sa demande était vaine ou non, et si les dieux l'accorderaient du haut de leurs espaces.

Non plus qu'il aurait su s'expliquer pourquoi de tels mots lui venaient aux lèvres, et par quel pressentiment il se mettait à craindre la laideur des choses, la cruauté des actes, ou la désunion des êtres.

Quand il entra dans le village, il avait été signalé de loin et déjà, l'on était sorti des iglous pour l'accueillir.

En cette communauté, où déjà l'on savait la colère de Tudlik et la punition inspirée par cette colère et imposée à Agaguk, il courait une puissante marée de curiosité morbide. Il avait été compris tacitement que par voie de Tudlik, reconnu pour l'occasion ordonnateur des choses surnaturelles, et sur le dos d'Agaguk, devenu bouc émissaire de leurs fautes à tous, la condamnation et la punition se manifestaient, les laissant, eux, pécheurs par imitation, libres de tout souci.

Et libres aussi de nourrir sans remords leur curiosité quant à la confrontation entre Agaguk et son fils Tayaout, maintenant qu'il devait y avoir confession des fautes.

Or, que ferait Tayaout ?

Depuis quelques jours, alors qu'on anticipait son retour prochain, les conjectures allaient bon train dans les iglous. On connaissait son opiniâtreté, son attachement aux traditions, son intransigeance. Les plus vieux avaient constaté, au retour de Tayaout, porteur de la pierre magique, l'état d'esprit du jeune Inuk. Ils avaient aperçu chez lui les signes d'une mystique comme il ne s'en était pas vu de longtemps dans les parages.

Or, c'était son propre père qui avait en quelque sorte profané cet état d'esprit. C'était de lui que pouvait venir la colère des dieux, colère bien canalisée par Tudlik, bien sûr, mais épargnerait-elle tout autant Tayaout ? La question s'était posée.

— C'est à lui qu'a été confiée la pierre, en tout premier lieu, a dit Iriook, qui a peine à cacher ses tourments.

Dans les iglous, on répète les mêmes mots ; question

142

de responsabilité. On voit bien qu'en définitive, c'est Tayaout la cheville ouvrière de ces événements. Il a maîtrise et devoir, il doit répondre de ses gestes, et peut-être aussi de ceux des autres. Ceux d'Agaguk, en tout cas, ceux de son père. Il lui a été confié la pierre, il n'a pas vu à ce que celle-ci soit protégée des entreprises des Inuit. Et celles d'Agaguk pas plus que les autres.

Désormais, les Blancs sont là, et qui peut prédire les actes des Blancs ? Leurs complots et leurs manigances, leurs manipulations de l'âme esquimaude ?

Prévisiblement, les Inuit en sont rendus au point où ils discutent les fautes commises comme si elles incombaient à d'autres, comme si tout à coup, il n'y avait de pécheur qu'Agaguk, de victime possible que Tayaout.

Et ils ne sont devenus, à force d'inconscience, que de simples spectateurs attentifs à un drame qui doit inévitablement se dérouler devant leurs yeux; drame auquel ils ne participeront pas, dont ils ne sont ni les responsables ni les commettants, mais les seuls témoins.

Ils sont donc fébrilement curieux lorsqu'ils entourent Tayaout et son équipage.

Tandis que, seul parmi tous, dans son iglou, Tudlik invoque continuellement les esprits dont il loue la puissance, afin qu'ils reconnaissent l'innocence de Tayaout en ces choses et l'épargnent tout en accablant, s'il le faut, Agaguk le véritable porteur de scandale.

Car le vieux Tudlik, malgré ce qu'il a dit à Agaguk, ne saurait vraiment affirmer que l'Inuk sera délivré de toute punition autre que son obligation de révéler sa turpitude à son fils.

Il prie donc. A sa manière, implorant plus qu'il ne prie, invoquant plus qu'il n'évoque.

Et au centre du village, Tayaout, les yeux brillants, retrouve son monde et ses joies.

Pourtant, ses yeux se dessillent peu à peu, et voilà qu'il aperçoit chez les siens un regard inaccoutumé, sur les visages un air qu'il ne reconnaît point. Alors il devient grave, les observe sans bouger et dit au bout d'un temps :

— Qu'est-ce que vous me cachez ?

* *
*

L'affrontement entre Agaguk et son fils Tayaout n'eut pas lieu ce même jour.

Peut-être n'y avait-il pas encore eu dans les longs vents exaspérés de ces heures-là, le son de signal à reconnaître ? Et dans les grandes naves ouateuses des nuages montant du ponant, la clé des gestes et l'augure impérieux ?

Il y eut une attente et Tayaout n'en aurait pu décrire les raisons : il savait seulement la présence d'un mystère, et non sa nature. Il flairait comme une bête mussée qui devine un ennemi proche et ne peut encore l'apercevoir.

D'abord, il avait lu le mystère dans les visages, dans les regards, et il s'était écrié :

— Qu'est-ce que vous me cachez ?

A quoi rien ne fut répondu et le mystère se fit encore plus marqué dans les abords du venant.

— Qu'est-ce qu'il y a ?

Il fut naïf et crut à un accident. Mais sitôt accouru à l'iglou, il trouva Iriook, les jumeaux, son père ; ce n'était donc pas une tragédie. Il en ressortit aussitôt sans parler. On le suivit, mais il ne voyait personne vraiment. Il était aux abois.

144

Mais alors, quoi ? Tudlik ? Tudlik son aviseur et conseilleur. Tudlik le Considérable, éminence chez les Sages. Serait-il mort ? On l'assura que non. Tudlik est bien ; il est dans son iglou, il t'attend.

— Mais quoi, donc ?

On s'égailla plutôt que de répondre. Le premier enfui, Ayallik. Les autres le talonnaient presque. Des femmes restèrent, qui regardaient Tayaout avec des yeux doux et tristes, mais l'Inuk n'aurait pas sollicité la vérité des femmes.

— Laissez-moi passer, dit-il.

Elles s'écartèrent et il alla de l'iglou d'Agaguk à celui de Tudlik. C'en devrait être fait bientôt de l'angoisse : Tudlik est à un rang d'exaltation dans la tribu qu'il sait tout ce qui s'y passe. Lui pourra dire.

— Je t'honore, dit Tayaout en s'asseyant devant l'Aveugle.

— Te voilà revenu, dit Tudlik.

— A'ya...

— Quels furent les vents ?

Tayaout résuma pour le vieillard la longue boucle de son chemin. Il raconta le ciel, les nuits, le dessein des jours, l'humeur des chiens et leur vaillance. Comment il avait cheminé à petite portée des meilleurs vents, avec des gestes de halbran rasant la dune pour profiter des courants bas et tièdes.

— C'est presque naviguer, conclut-il. J'étais au mauvais cycle de l'année. Je n'avais pas choisi, mais tu vois, je suis revenu et je n'ai même pas souffert.

— Tu as bien voyagé, dit Tudlik.

— J'ai suivi l'accore du sol et du ciel comme il a été fait jour après jour par le vent. C'est la bonne route.

— A'ya ! C'est la bonne route.

— Et je reviens parmi les miens.

145

Tudlik inclina la tête.

— Il y a des retours qui tardent.

— Le mien ?

— Oui.

— Je suis jeune encore, je ne manque à personne.

— Tu manques à ceux qui auraient besoin de toi.

Tayaout laissa tomber un silence, puis reprit :

— Qu'en est-il des visages étranges et des regards que je vois ?

— Je savais que tu le demanderais.

— Ils m'ont accueilli comme s'ils craignaient quelque chose.

— Ou quelqu'un...

— Qui ?

— Toi.

— Moi ? Et pourquoi me craindre ? Je ne menace personne.

— Tu es le découvreur de la pierre.

— Je suis celui qui a trébuché sur la pierre d'une île, qui la reconnut pour ce qu'elle était, et en a rapporté chez les siens. Et cela me rend suspect ?

— Selon qu'on a fait bon ou mauvais usage de la pierre, Tayaout... Qu'en peux-tu savoir ?

— Quel mauvais usage ?

— Et si tu demandais à Agaguk ?

— Comment le demander ?

— Avec tes mots à toi.

— Et que demander ?

— Je ne dirai rien de plus.

Longtemps, Tayaout observa le visage de l'Aveugle, mais chaque trait en était maintenant refermé. L'homme semblait lui-même fait de cette pierre divine.

Accroupi, une main étendue sur la cuisse, il semblait avoir perdu même toute respiration.

Acharné, les dents serrées, Tayaout insista :

146

— Il faut que je sache.

Rien. Le silence. L'immobilité.

— Il le faut !

Tudlik fixait toujours le lointain, de ses orbites vides.

— Laisse-moi dormir ici, dit Tayaout. Le voyage a été long, et il faut que je reprenne mes esprits. Laisse-moi attendre demain dans ton iglou.

— Reste, dit enfin Tudlik. Demain, il te faudra vivre.

Il ne disait ce qu'était vivre, selon ce lendemain dont il parlait ; il n'en décrivait pas les rehauts sinistres dont il le savait pourtant paré d'avance.

— Dors ici, c'est ta meilleure paix.

Dans le rêve de Tayaout, cette nuit-là, il y eut encore le grand serpent du Pôle, qui déroula ses anneaux et enserra tout le pays de glace. Mais il n'avait plus tête de Blanc, ni mine de missionnaire naïf. Celui-là, ce serpent de l'ultime nuit fit hurler Tayaout dans son sommeil, car à la mesure du déroulement des anneaux, et quand enfin surgit la tête derrière la banquise, il vit que le monstre nocturne avait le visage de son père, Agaguk.

Et que lui, Tayaout, tenant à deux mains un fusil à charge puissante, tentait de viser ce visage d'épouvante.

Quand le coup partit, Tayaout ne sut pas s'il avait abattu le bizarre ennemi ; c'était déjà l'aube et il y avait une clarté blafarde à travers la glace de l'iglou.

Tudlik n'avait pas dû se coucher, car il était toujours assis devant le feu. Tourné vers Tayaout qui se levait avec peine, les membres endoloris et le souffle court, il murmura :

— Va, maintenant. Va chez Agaguk. Tu sauras bien vite quelle question il faut poser.

X

Tu as dormi chez Tudlik, je l'ai su, dit Iriook.

Tayaout se laissa tomber devant le feu. Sa mère était seule dans l'iglou. Les plus jeunes n'étaient pas là, et Agaguk non plus.

— Il est parti, dit Iriook à la question muette de Tayaout. Il a dit qu'il reviendrait bientôt. Je ne sais pas où il est allé.

Le jeune Inuk examinait l'iglou, cherchant d'abord là, dans ces murs, ce qu'avait voulu dire Tudlik. Il observa sa mère, aussi, mais ne la trouva pas changée. Sauf peut-être une dureté sur le visage à laquelle il n'était pas accoutumé. Un regard plus lointain. Etait-ce lui la cause ? Avait-il fauté ?

— Je reviens, dit-il. Je me sens bien aise. Mais on dirait que je n'ai pas le même accueil.

Iriook le fixa, mais ne dit rien.

— C'est dans le regard des gens, continua Tayaout, et sur leur visage. Et Tudlik me dit que je devrai m'enquérir auprès d'Agaguk, mon père...

Iriook inclina la tête de côté.

— Il pourrait te répondre.

Tayaout allait parler, mais elle étendit la main :

— Non... Il fera mieux : il devra répondre, il n'a même pas le choix de se taire.

— Que s'est-il passé ?

Une fois de plus, il posait la question directement, les yeux dans les yeux de sa mère, la voix ferme, autoritaire presque.

— Tu ne vois donc rien, Tayaout ?

— Qu'est-ce que je devrais voir ? Il n'y a rien à voir de plus ici qu'il y en avait auparavant.

— De plus, non, fit Iriook. Mais de moins ?

Soudain conscient de l'importance de ces mots, Tayaout releva la tête, scruta l'iglou de haut en bas. Il aperçut les niches taillées dans la paroi de glace, et les niches étaient vides...

— La pierre, murmura-t-il. La pierre ?

Iriook fit oui de la tête.

— La pierre... dit-elle. Tu as bien vu.

— Les formes de pierre ne sont plus là. Il y avait celle que j'ai faite, celle que mon père a faite...

— Et d'autres, dit Iriook. D'autres encore. Huit en tout, je crois, et tout autant chez Ayallik, tout autant dans la plupart des iglous.

— Et elles ne sont plus là ?

— A'ya, elles ne sont plus là.

Tayaout, debout, frémissant, le corps en sueur et du plomb dans la poitrine, s'approcha de sa mère.

— Où sont les formes de pierre qui étaient ici dans cet iglou et dans les autres iglous ?

— Un Blanc est venu, dit Iriook...

— Un Blanc !

— Il a offert des dollars...

— Et ils lui ont vendu les pierres taillées ?

— Oui.

— Qui a consenti le premier ?

— Ton père, Agaguk.

150

— Et les autres l'ont imité ?

— Oui.

Tayaout savait combien grave est l'acte d'un Inuk donnant l'exemple aux autres, et comme il doit bien peser cet acte souverain. Ce peuple est trop habitué au vent qui emporte tout. Il résiste mal aux forces et aux impulsions. Et il trouve à se justifier mieux encore lorsque l'un des siens agit le premier, que d'autres ensuite l'imitent, rejetant à la fin le blâme sur l'initiateur...

— Mon père, Agaguk... ?

— Oui.

Tayaout se contenait à peine. Une telle rage se tenait en lui, prête à bondir, que toute la peau semblait grésiller et qu'il sentait une chaleur énorme le consumer.

La voix d'Iriook fut tellement unie qu'elle en acquit une sorte d'impérieuse urgence.

— Reste là, dit-elle, attends. Ton sang doit se calmer.

Mais Tayaout, le menton bas, secouait farouchement la tête de gauche à droite, comme une bête blessée qui se cherche des sursauts de vie, la ruée d'une ultime revanche.

— Ton sang, répéta doucement Iriook, doit d'abord se calmer.

— Mais pourquoi lui ? cria Tayaout. Pourquoi mon père ?

Le geste d'Iriook fut surprenant d'indifférence. Elle avait lentement haussé les épaules, comme pour décompter, rejeter, annuler un être, le rayer de toute pensée.

— Agaguk, dit-elle, ou encore Ayallik, ou Popok, et qu'importe. Il a été dit, peut-être, qu'il en fallait un et cela n'a pas été un choix réfléchi.

— Quel choix ? Qui aurait choisi ?

Elle haussa de nouveau les épaules.

151

— Quelqu'un, quelque part. Ceux qui sont plus forts que nous, qui sont au-dessus de nous. Et personne, peut-être.

Tant de fatalisme étonna Tayaout, qui attribuait un mal à la source qu'il lui reconnaissait ; il constatait la trahison de son père Agaguk, il ne cherchait pas d'excuse.

— Il a vendu de lui-même, dit Tayaout. Il a cédé les sculptures, il savait ce qu'il faisait. Il n'était pas un homme en démence qui divague et danse sur la neige comme un oiseau affolé.

— Je ne cherche pas à l'excuser, dit Iriook. Bien au contraire. Il agissait de plein gré, tu l'as compris. Mais je te dis que nous sommes tous soumis aux Considérables invisibles, qui font de nous ce que nous sommes.

— C'est l'excuser.

— C'est nous excuser tous.

— Et qu'est-ce qu'il mérite, lui, mon père, celui-là qui se nomme Agaguk, que doit-il subir ?

Alors Iriook inclina un peu la tête et murmura :

— Il doit mourir, bien sûr.

Tayaout la regardait bouche bée.

Elle répéta, sans la moindre émotion :

— Il doit mourir. Et tu dois le tuer.

Debout, les poings serrés, les yeux ronds comme de hautes lunes pleines, Tayaout trépigna presque sur place.

— Vous le dites ?

— Je le dis.

— Moi, le tuer ?

— Oui.

Le fils d'Agaguk se mit à marcher dans l'iglou, faisant des deux bras des gestes désordonnés. Une sorte d'hystérie s'était emparée de lui, qui le faisait agir hors de toute volonté. Le choc d'entendre sa mère dire sans broncher le mot clé de ses rages rouges du moment, approuver en quelque sorte ce qu'il n'avait projeté que bien théoriquement, le livrait à une sorte de panique nerveuse aux bizarres répercussions.

— Le tuer ?

Sa voix était stridente.

— Moi, le tuer ?

— Tu y as pourtant pensé. C'est la première idée qui t'es venue.

— Oui, j'y ai pensé.

Iriook se déplaça un peu, replia une jambe. Assise sur le banc de glace, le visage lisse en sueur sur lequel jouaient les lueurs rougeâtres et fumeuses de la lampe, elle semblait un être irréel, déraciné de tout contexte humain.

— Entends-moi, Tayaout, dit-elle. Toi, tu as été désigné pour redécouvrir la pierre que nous avions perdue. Il importe que ton acte soit reconnu. Et qu'il nous apporte du bien. Or, s'il est arrivé qu'un homme ait trahi ton acte, et que toutes les divinités soient en colère, alors qu'elles semblaient tant se pencher sur nous par ton entremise, reste-t-il un choix ? Sûrement, toi, tu dois vivre. Celui qui a trahi doit périr.

— Mais c'est mon père. Et c'est votre homme.

— Le crois-tu, ce que tu dis ?

— Oui.

— Il a été ton père. Il l'est, c'est la nature. Mais il ne mérite plus de l'être. Et je le renie, moi.

— Toi ?

— Oui, je le renie. Il n'est plus mon homme. Il aurait pu accomplir mille gestes sans conséquences, je n'aurais même pas levé un doigt. Mais ce qu'il a fait... ? Le comprends-tu, ce qu'il a fait ? Notre dernière chance, notre dernière miséricorde. Désormais, les Blancs nous tiennent. Tu les verras accourir. Ils organiseront tout, ils décréteront comment doivent se sculpter les pierres. Nous deviendrons des artisans et ils seront les commerçants. Dans les grandes villes du Sud, à Montréal, qu'ils la nomment celle-là, à Toronto, à Québec, des gens vendront nos scuptures, en tireront gros profit, seront riches, nantis des plus belles fourrures, pendant qu'ici nous travaillerons pour eux. Et nous deviendrons plus que jamais leurs esclaves. Ils nous enseigneront à posséder des choses dont nous nous sommes passés depuis des millénaires, et nous deviendrons tout autant esclaves de ces possessions. Les Blancs seront partout, régenteront tout, décideront de nos moindres gestes, de nos moindres actes. Tous ceux que tu connais, Ayallik, tous les autres, que feront-ils ? Ils tailleront cette pierre qui n'aura plus aucun sens, et des hommes, des femmes, des Blancs de toute espèce, dans les villes du Sud, seront nos maîtres. Les missionnaires seront leurs complices, les autres Blancs aussi, ceux du gouvernement surtout. Il en sera fini de nous. A cause d'Agaguk.

— A cause de mon père... murmura Tayaout.

— Oui, à cause de ton père. Et je dis que nous devons tous avoir à cet instant même le vouloir qu'il meure, et qu'il meure de ta propre main car c'est tout l'engrenage : tu as été mené à la pierre, tu as ramené la pierre à nous, et ton père Agaguk a détruit ce geste en entraînant tous les Inuit dans le sacrilège. Il est trop tard pour reculer. Au moins, qu'Agaguk en périsse.

Tayaout, tête basse, serrait convulsivement les poings. Il se laissa soudain tomber accroupi devant la lampe.

Alors Iriook eut une sorte de grand cri rauque, le cri d'un animal se ruant au sang.

— Mais vas-y ! Va le tuer !

Il sortit d'un trait, courut à travers le village, cherchant son père.

Il perquisitionna les iglous, le poste de traite, les maisons des Blancs, la mission du Père catholique, celle de l'Anglican, mais ne trouva Agaguk nulle part.

— Où est-il ? criait Tayaout à chacun qu'il voyait. Où est Agaguk, mon père ?

On montrait vaguement qui le levant, qui le ponant, rien de moins sûr. Surtout on éludait la demande drue : on a cru le voir, on ne sait trop, il a été là tout à l'heure, mais il était ailleurs aussi, semble-t-il. Si bien que malgré toute recherche, Tayaout ne le trouva pas.

Finalement, plus calme, moins emporté de rage, il décida d'attendre le retour d'Agaguk. Ses chiens étaient là, ses vêtements de voyage étaient pendus dans l'iglou, son fusil reposait contre la paroi extérieure, et son traîneau était, lisses au ciel, tout à côté de l'habitation. Agaguk ne pouvait être loin, et il lui faudrait revenir.

Il ne s'agissait que de surveiller... et d'attendre.

Tayaout se mit à décharger les traîneaux, restés là depuis la veille. Il transporta les ballots dans l'iglou où Iriook attendait de son côté.

Le jeune Esquimau travaillait en silence, le regard baissé. Pas une fois il n'adressa la parole à sa mère. Celle-ci, immobile, observait son fils et restait silencieuse. Et puis, au moment même où Tayaout entrait le dernier ballot, elle tendit la main et dit :

— Entends-moi... Il le faut.

Mais il eut une sorte de gémissement rauque, secoua la tête, le regard toujours baissé, et il ressortit sans vouloir répondre.

Dehors, il scruta de nouveau les recoins du village, en un long regard circulaire auquel rien n'échappait. Il ne vit toujours pas son père, mais il remarqua que personne n'était dehors, pas même un enfant, et qu'il pesait sur l'ensemble des iglous comme un poids sinistre qui l'effraya bien un peu, mais qui surtout l'étonna.

"Savent-ils donc ?" murmura-t-il.

Au détour de la mission, Agaguk apparut.

Tayaout resta sans bouger, surveillant l'approche de son père.

Là-bas, l'Inuk n'avançait qu'à pas lents, les bras ballants, zigzaguant parfois, comme s'il lui prenait des envies de fuir et qu'il les refrénait.

Figé sur place, Tayaout ne faisait aucun geste, mais ses yeux ne quittaient pas Agaguk. Quand les deux hommes furent à petite portée, Agaguk leva la main :

— Tu es revenu ? dit-il.

Tayaout inclina brièvement la tête, puis à son tour il étendit la main, mais son geste interdisait d'avancer, c'était un ordre péremptoire.

— Reste là, dit-il.

Agaguk, la lèvre pendante, l'air hébété, s'immobilisa et dit soudain d'une voix pleurarde.

— Mais, qu'est-ce que tu veux, Tayaout ?

Aurait-il pu savoir l'affreux bouillonnement en la pensée de son fils ? Comme le cruel piétinement de quelque turme romaine envahissant ses contrées intérieures, écrasant tout, en rendant en bouillie informe toutes les intentions, toutes les émotions, toutes les miséricordes ? Où trouver pardon ou indulgence quand en soi n'existe plus que ce tumulte déchirant ?

L'entier du beau dessein de Tayaout, lorsqu'il avait rapporté aux siens la pierre magique dont ils tireraient leur bien-être futur, voilà que c'était son propre père, Agaguk, qui l'avait flétri, souillé, livré aux Blancs !

Pouvait-il seulement répondre à la question que devant lui Agaguk répétait ?

— Mais, qu'est-ce que tu veux ? Dis-le, Tayaout.

Alors Tayaout, comprenant que, désormais, il n'y avait plus rien de possible, autre que la finalité des actes, se baissa lentement, prit son fusil, épaula et, froidement, déchargea l'arme en plein visage de son père.

De tous les iglous surgit subitement la horde des Esquimaux, Iriook en tête, et chacun hurlait d'épouvante, sautait en gestes déments, se roulait par terre en proie à une hystérie collective incontrôlable.

Même les chiens, qui s'étaient tus depuis une heure, conscients, on eût dit, du drame qui se préparait, se mirent de concert à hurler à la mort.

Dans la neige, le sang d'Agaguk s'étendit en une large flaque rouge clair.

L'homme mit du temps à mourir, sans que personne ne vienne à son aide. Puis il cessa finalement de bouger, et le vent s'éleva d'un grand coup, emportant d'immenses masses de neige qui retombèrent lourdement et ensevelirent la dépouille en quelques instants.

* *
*

Le fusil toujours à la main, Tayaout avait couru.

Il ne ressentait aucune émotion. Plutôt, il chantait en lui-même : une lourde mélopée de délivrance, un chant sans suite, mais sans entraves non plus.

Il courut ainsi à travers les glaces de la rivière, remonta d'une même allure l'autre rive et se trouva à la fin caché par des longues dunes basses. Il allait se laisser tomber par terre et chercher de nouveaux nords en sa pensée quand apparut un ours blanc qui semblait n'être venu de nulle part.

Un moment, il n'y avait eu que les dunes désertes et le vent dévorant qui les déglaçait, puis la bête énorme survint, comme soudainement matérialisée à travers un nuage de poudrerie.

Bien campé, Tayaout attendit l'ours qui venait vers lui, marchant à quatre pattes, secouant continuellement la tête de droite à gauche en grondant au creux de la gorge.

— Viens, lui dit Tayaout, je connais tes ancêtres. Ils ont dévoré mes ancêtres.

Il épaula le fusil, chercha l'animal dans la mire, visa soigneusement. L'ours, conscient du danger de cette arme, bondit au moment où Tayaout pressa sur la gâchette. et le coup ne partit point. A la dernière seconde, le mécanisme s'était enrayé, et quand l'animal s'abattit sur Tayaout, le jeune Inuk eut le temps d'apercevoir avant de mourir, la cicatrice qu'il reconnut aussitôt, celle infligée à cette même bête l'année précédente, la bête sans propitiation, qui revenait aujourd'hui, seuls les esprits savaient de quelles géhennes, pour retrouver l'homme et finir la tâche commencée.

On ne trouva pas assez des chairs de Tayaout pour leur donner sépulture.

On mit donc ses restes avec ceux d'Agaguk, pour l'éternité.

Quand Ayallik, longtemps après, sculpta de mémoire le geste de Tayaout abattant son père, il se trouva que son ouvrage ressemblait à s'y méprendre à la statuette sculptée bien auparavant par Agaguk, montrant Tayaout épaulant un fusil pour tuer.

Oeuvres principales de l'auteur

CONTES POUR UN HOMME SEUL, Montréal, Editions de l'Arbre, 1944 épuisé;

AGAGUK, roman (Premier prix de la province de Québec, 1957) (Prix France-Canada, 1961) Montréal, Editions de l'Homme.

Traductions: Editions Riron-Sha, Tokyo, 1960;
  Editions Herbig, Berlin, 1960;
  Editions Portugalia, Lisbonne, 1960;
  Editions Znanje, Zagreb, 1961;
  Editions Aldo Martello, Milan, 1962;
  Editions Ryerson Press, Toronto, 1963.

ROI DE LA COTE NORD, récit, Editions de l'Homme, Montréal, 1960;

ASHINI, roman (Prix du Gouverneur général 1961) deuxième éd., Montréal-Paris, Editions Fides, 1961;

LES COMMETTANTS DE CARIDAD, roman, Editions de l'Homme, 1966;

AMOUR AU GOUT DE MER, roman, Montréal, Editions Beauchemin, 1961;

LE VENDEUR D'ETOILES, contes (Prix Mgr Camille Roy 1961) Montréal-Paris, Editions Fides, 1961;

SEJOUR A MOSCOU, Montréal-Paris, Editions Fides, 1961;

SI LA BOMBE M'ETAIT CONTEE, Montréal, Editions du Jour, 1962;

LE GRAND ROMAN D'UN PETIT HOMME, Montréal, Editions du Jour, 1963;

LE RU D'IKOUE, Editions Fides, 1963;

LES VENDEURS DU TEMPLE, deuxième éd., Montréal, Editions de l'Homme, 1964;

LA ROSE DE PIERRE, Editions du Jour, 1964;

N'TSUK, Montréal, Editions de l'Homme, 1968;

LA MORT D'EAU, Montréal, Editions de l'Homme, 1968;

KESTEN, Editions du Jour, 1968;

L'ILE INTROUVABLE, Editions du Jour, 1968;

VALERIE, Montréal, Editions de l'Homme, 1969;

LES TEMPS DU CARCAJOU, Editions de l'Homme, 1969;

LE DERNIER HAVRE, L'Actuelle, 1970;

CUL-DE-SAC, L'Actuelle, 1970;

LA FILLE LAIDE, L'Actuelle, 1971;

AARON, (Prix de la Province de Québec, 1954), L'Actuelle, 1971;

LE DOMPTEUR D'OURS, L'Actuelle, 1971.

ACHEVÉ D'IMPRIMER
SUR LES PRESSES DE L'IMPRIMERIE ELECTRA
POUR LES ÉDITIONS DE L'ACTUELLE INC.
LE 8 JUIN 1971

Ouvrages parus
chez les Éditeurs du groupe Sogides

Ouvrages parus aux
ÉDITIONS
DE L'HOMME

ART CULINAIRE

Art de vivre en bonne santé (L'), Dr W. Leblond, 3.00

Boîte à lunch (La), L.-Lagacé, 3.00

101 omelettes, M. Claude, 2.00

Choisir ses vins, P. Petel, 2.00

Cocktails de Jacques Normand (Les), J. Normand, 3.00

Congélation (La), S. Lapointe, 3.00

Cuisine chinoise (La), L. Gervais, 3.00

Cuisine de maman Lapointe (La), S. Lapointe, 3.00

Cuisine de Pol Martin, Pol Martin, 4.00

Cuisine des 4 saisons (La), Mme Hélène Durand-LaRoche, 3.00

Cuisine française pour Canadiens, R. Montigny, 4.00

Cuisine en plein air, H. Doucet, 2.00

Cuisine italienne (La), Di Tomasso, 2.00

Diététique dans la vie quotidienne, L. Lagacé, 3.00

En cuisinant de 5 à 6, J. Huot, 3.00

Fondues et flambées, S. Lapointe, 3.00

Grande Cuisine au Pernod (La), S. Lapointe, 3.00

Hors-d'oeuvre, salades et buffets froids, L. Dubois, 3.00

Madame reçoit, H.D. LaRoche, 2.50

Mangez bien et rajeunissez, R. Barbeau, 3.00

Recettes à la bière des grandes cuisines Molson, M.L. Beaulieu, 2.00

Recettes au "blender", J. Huot, 4.00

Recettes de maman Lapointe, S. Lapointe, 3.00

Recettes de gibier, S. Lapointe, 3.00

Régimes pour maigrir, M.J. Beaudoin, 4.00

Tous les secrets de l'alimentation, M.J. Beaudoin, 3.50

Vin (Le), P. Petel, 3.00

Vins, cocktails et spiritueux, G. Cloutier, 2.00

Vos vedettes et leurs recettes, G. Dufour et G. Poirier, 3.00

Y'a du soleil dans votre assiette, Georget-Berval-Gignac, 3.00

DOCUMENTS, BIOGRAPHIE

Acadiens (Les), E. Leblanc, 2.00

Bien-pensants (Les), P. Berton, 2.50

Bourassa-Québec, R. Bourassa, 1.00

Camillien Houde, H. Larocque, 1.00

Canadians et nous (Les), J. De Roussan, 1.00

Ce combat qui n'en finit plus, A. Stanké,-J.L. Morgan, 3.00

Charlebois, qui es-tu?, B. L'Herbier, 3.00

Chroniques vécues, tome 1, H. Grenon, 3.50

Chroniques vécues, tome 2, H. Grenon, 3.50

Conquête de l'espace (La), J. Lebrun, 5.00

Des hommes qui bâtissent le Québec, collaboration, 3.00

Deux innocents en Chine rouge, P.E. Trudeau, J. Hébert, 2.00

Drapeau canadien (Le), L.A. Biron, 1.00

Drogues, J. Durocher, 2.00

Egalité ou indépendance, D. Johnson, 2.00

Epaves du Saint-Laurent (Les), J. Lafrance, 3.00

Félix Leclerc, J.P. Sylvain, 2.50

Fabuleux Onassis (Le), C. Cafarakis, 3.00

Fête au village, P. Legendre, 2.00

FLQ 70: Offensive d'automne, J.C. Trait, 3.00

France (La), Larousse-Homme, 2.50

France des Canadiens (La), R. Hollier, 1.50

Greffes du coeur (Les), collaboration, 2.00

Hippies (Les), Time-coll., 3.00

Imprévisible M. Houde (L'), C. Renaud, 2.00

Insolences du Frère Untel, F. Untel, 1.50

J'aime encore mieux le jus de betteraves, A. Stanké, 2.50

Juliette Béliveau, D. Martineau, 3.00

La Bolduc, R. Benoit, 1.50

Lamia, P.T. De Vosjoli, 5.00

L'Ermite, L. Rampa, 3.00

Magadan, M. Solomon, 6.00

Maison traditionnelle au Québec (La), M. Lessard, G. Vilandré, 10.00

Mammifères de mon pays, Duchesnay-Dumais, 2.00

Masques et visages du spiritualisme contemporain, J. Evola, 5.00

Michèle Richard raconte Michèle Richard, M. Richard, 2.50

Mozart, raconté en 50 chefs-d'oeuvre, P. Roussel, 5.00

Nationalisation de l'électricité (La), P. Sauriol, 1.00

Napoléon vu par Guillemin, H. Guillemin, 2.50

Objets familiers de nos ancêtre, L. Vermette, N. Genêt, L. Décarie-Audet, 6.00

On veut savoir, (4 t.), L. Trépanier, 1.00 ch.

Option Québec, R. Lévesque, 2.00

Pellan, G. Lefebvre, 18.95

Pour entretenir la flamme, L. Rampa, 3.00

Pour une radio civilisée, G. Proulx, 2.00

Prague, l'été des tanks, collaboration, 3.00

Premiers sur la lune, Armstrong-Aldrin-Collins, 6.00

Prisonniers à l'Oflag 79, P. Vallée, 1.00

Prostitution à Montréal (La), T. Limoges, 1.50

Québec 1800, W.H. Bartlett, 15.00

Rage des goof-balls, A. Stanké-M.J. Beaudoin, 1.00

Rescapée de l'enfer nazi, R. Charrier, 1.50

Révolte contre le monde moderne, J. Evola, 6.00

Riopelle, G. Robert, 3.50

Terrorisme québécois (Le), Dr G. Morf, 3.00

Ti-blanc, mouton noir, R. Laplante, 2.00

Treizième chandelle, L. Rampa, 3.00

Trois vies de Pearson (Les), Poliquin-Beal, 3.00

Trudeau, le paradoxe, A. Westell, 5.00

Une culture appelée québécoise, G. Turi, 2.00

Un peuple oui, une peuplade jamais! J. Lévesque, 3.00

Un Yankee au Canada, A. Thério, 1.00

Vizzini, S. Vizzini, 5.00

Vrai visage de Duplessis (Le), P. Laporte, 2.00

ENCYCLOPEDIES

Encyclopédie de la maison québécoise, Lessard et Marquis, 8.00

Encyclopédie des antiquités du Québec, Lessard et Marquis, 7.00

Encyclopédie des oiseaux du Québec, W. Earl Godfrey, 6.00

Encyclopédie du jardinier horticulteur, W.H. Perron, 6.00

Encyclopédie du Québec, Vol. I et Vol. II, L. Landry, 6.00 ch.

ESTHETIQUE ET VIE MODERNE

Cellulite (La), Dr G.J. Léonard, 3.00

Chirurgie plastique et esthétique,
   Dr A. Genest, 2.00

Embellissez votre corps, J. Ghedin, $2.00

Embellissez votre visage, J. Ghedin, 1.50

Etiquette du mariage, Fortin-Jacques,
   Farley, 2.50

Exercices pour rester jeune, T. Sekely, 3.00

Femme après 30 ans, N. Germain, 3.00

Femme émancipée (La), N. Germain et
   L. Desjardins, 2.00

Leçons de beauté, E. Serei, 2.50

Médecine esthétique (La),
   Dr G. Lanctôt, 5.00

Savoir se maquiller, J. Ghedin, 1.50

Savoir-vivre, N. Germain, 2.50

Savoir-vivre d'aujourd'hui (Le),
   M.F. Jacques, 2.00

Sein (Le), collaboration, 2.50

Soignez votre personnalité, messieurs,
   E. Serei, 2.00

Vos cheveux, J. Ghedin, 2.50

Vos dents, Archambault-Déom, 2.00

LINGUISTIQUE

Améliorez votre français, J. Laurin, 3.00

Anglais par la méthode choc (L'),
   J.L. Morgan, 3.00

Dictionnaire en 5 langues, L. Stanké, 2.00

Petit dictionnaire du joual au français,
   A. Turenne, 2.00

Savoir parler, R.S. Catta, 2.00

Verbes (Les), J. Laurin, 3.00

LITTERATURE

Amour, police et morgue, J.M. Laporte, 1.00

Bigaouette, R. Lévesque, 2.00

Bousille et les Justes, G. Gélinas, 2.00

Candy, Southern & Hoffenberg, 3.00

Cent pas dans ma tête (Les), P. Dudan, 2.50

Commettants de Caridad (Les),
   Y. Thériault, 2.00

Des bois, des champs, des bêtes,
   J.C. Harvey, 2.00

Ecrits de la Taverne Royal, collaboration, 1.00

Gésine, Dr R. Lecours, 2.00

Hamlet, Prince du Québec, R. Gurik, 1.50

Homme qui va (L'), J.C. Harvey, 2.00

J'parle tout seul quand j'en narrache,
   E. Coderre, 2.00

Mort attendra (La), A. Malavoy, 1.00

Malheur a pas des bons yeux,
   R. Lévesque, 2.00

Marche ou crève Carignan, R. Hollier, 2.00

Mauvais bergers (Les), A.E. Caron, 1.00

Mes anges sont des diables,
   J. de Roussan, 1.00

Montréalités, A. Stanké, 1.00

Mort d'eau (La), Y. Thériault, 2.00

Ni queue, ni tête, M.C. Brault, 1.00

Pays voilés, existences, M.C. Blais, 1.50

Pomme de pin, L.P. Dlamini, 2.00

Pour la grandeur de l'homme,
   C. Péloquin, 2.00

Printemps qui pleure (Le), A. Thério, 1.00

Propos du timide (Les), A. Brie, 1.00

Roi de la Côte Nord (Le), Y. Thériault, 1.00

Séjour à Moscou, Y. Thériault, 2.00

Temps du Carcajou (Les), Y. Thériault, 2.50

Tête blanche, M.C. Blais, 2.50

Tit-Coq, G. Gélinas, 3.00

Toges, bistouris, matraques et soutanes,
   collaboration, 3.00

Un simple soldat, M .Dubé, 2.00

Valérie, Y. Thériault, 2.00

Vertige du dégoût (Le), E.P. Morin, 1.00

LIVRES PRATIQUES – LOISIRS

Aérobix, Dr P. Gravel, 2.50

Alimentation pour futures mamans,
T. Sekely et R. Gougeon, 3.00

Apprenez la photographie avec Antoine
Desilets, A. Desilets, 4.00

Bougies (Les), W. Schutz, 4.00

Bricolage (Le), J.M. Doré, 3.00

Bricolage au féminin (Le), J.-M. Doré, 3.00

Bridge (Le), V. Beaulieu, 4.00

Cabanes d'oiseaux (Les), J.M. Doré, 3.00

Camping et caravaning, J. Vic et
R. Savoie, 2.50

Cinquante et une chansons à répondre,
P. Daigneault, 2.00

Comment prévoir le temps, E. Neal, 1.00

Conseils à ceux qui veulent bâtir,
A. Poulin, 2.00

Conseils aux inventeurs, R.A. Robic, 3.00

Couture et tricot, M.H. Berthouin, 2.00

Dictionnaire des mots croisés,
Collaboration, 5.00

Fins de partie aux dames,
H. Tranquille, G. Lefebvre, 4.00

Fléché (Le), L. Lavigne et F. Bourret, 4.00

Guide complet de la couture (Le),
L. Chartier, 4.00

Guide de l'astrologie (Le), J. Manolesco, 3.00

Guide de la haute-fidélité, G. Poirier, 4.00

Hatha-yoga pour tous, S. Piuze, 3.00

8/Super 8/16, A. Lafrance, 5.00

Hypnotisme (L'), J. Manolesco, 3.00

Informations touristiques, la France,
Deroche et Morgan, 2.50

Informations touristiques, le Monde,
Deroche, Colombani, Savoie, 2.50

Insolences d'Antoine, A. Desilets, 3.00

Interprétez vos rêves, L. Stanké, 4.00

Jardinage (Le), P. Pouliot, 4.00

Je développe mes photos, A. Desilets, 5.00

Je prends des photos, A. Desilets, 5.00

Jeux de société, L. Stanké, 3.00

J'installe mon équipement stéro, T. I et II,
J.M. Doré, 3.00 ch.

Juste pour rire, C. Blanchard, 2.00

Lignes de la main (Les), L. Stanké, 4.00

Massage, (Le), B. Scott, 4.00

Météo (La), A. Ouellet, 3.00

Origami I, R. Harbin, 2.00

Origami II, R. Harbin, 3.00

Ouverture aux échecs (L'), C. Coudari, 4.00

Plantes d'intérieur, P. Pouliot, 6.00

Poids et mesures, calcul rapide,
L. Stanké, 3.00

Pourquoi et comment cesser de fumer,
A. Stanké, 1.00

La retraite, D. Simard, 2.00

Tapisserie (La), T.-M. Perrier,
N.-B. Langlois, 5.00

Taxidermie (La), J. Labrie, 4.00

Technique de la photo, A. Desilets, 4.00

Techniques du jardinage (Les),
P. Pouliot, 6.00

Tenir maison, F.G. Smet, 2.00

Tricot (Le), F. Vandelac, 3.00

Trucs de rangement no 1, J.M. Doré, 3.00

Trucs de rangement no 2, J.M. Doré, 3.00

Une p'tite vite, G. Latulippe, 2.00

Vive la compagnie, P. Daigneault, 3.00

Voir clair aux échecs, H. Tranquille, 3.00

Voir clair aux dames, H. Tranquille, 3.00

Votre avenir par les cartes, L. Stanké, 3.00

Votre discothèque, P. Roussel, 4.00

LE MONDE DES AFFAIRES ET LA LOI

ABC du marketing (L'), A. Dahamni, 3.00

Bourse, (La), A. Lambert, 3.00

Budget (Le), collaboration, 3.00

Ce qu'en pense le notaire, Me A. Senay, 2.00

Connaissez-vous la loi? R. Millet, 2.00

Cruauté mentale, seule cause du divorce?
(La), Me Champagne et Dr Léger, 3.00

Dactylographie (La), W. Lebel, 2.00

Dictionnaire des affaires (Le), W. Lebel, 2.00

Dictionnaire économique et financier,
E. Lafond, 4.00

Dictionnaire de la loi (Le), R. Millet, 2.50

Dynamique des groupes,
Aubry-Saint-Arnaud, 1.50

Guide de la finance (Le), B. Pharand, 2.50

Loi et vos droits (La),
Me P.A. Marchand, 5.00

Secrétaire (Le/La) bilingue, W. Lebel, 2.50

PATOF

Cuisinons avec Patof, J. Desrosiers, 1.29

Patof raconte, J. Desrosiers, 0.89

Patofun, J. Desrosiers, 0.89

SANTE, PSYCHOLOGIE, EDUCATION

Activité émotionnelle, P. Fletcher, 3.00

Adolescent veut savoir (L'),
Dr L. Gendron, 3.00

Adolescente veut savoir (L'),
Dr L. Gendron, 2.00

Amour après 50 ans (L'), Dr L. Gendron, 3.00

Apprenez à connaître vos medicaments,
H. Poitevin, 3.00

Caractères et tempéraments,
C.-G. Sarrazin, 3.00

Complexes et psychanalyse,
P. Valinieff, 2.50

Comment vaincre la gêne et la timidité,
R.S. Catta, 2.00

Communication et épanouissement
personnel, L. Auger, 3.00

Contraception (La), Dr L. Gendron, 3.00

Couple sensuel (Le), Dr L. Gendron, $2.00

Cours de psychologie populaire,
F. Cantin, 3.00

Dépression nerveuse (La), collaboration, 3.00

Développez votre personnalité,
vous réussirez, S. Brind'Amour, 2.50

Déviations sexuelles (Les),
Dr Y. Léger, 2.50

En attendant mon enfant,
Y.P. Marchessault, 3.00

Femme enceinte (La), Dr R. Bradley, 3.00

Femme et le sexe (La), Dr L. Gendron, 3.00

Guérir sans risques, Dr E. Plisnier, 3.00

Guide des premiers soins, Dr J. Hartley, 4.00

Guide médical de mon médecin de famille,
Dr M. Lauzon, 3.00

Homme et l'art érotique (L'),
Dr L. Gendron, 3.00

Langage de votre enfant (Le),
C. Langevin, 3.00

Maladies psychosomatiques (Les),
Dr R. Foisy, 2.00

Maladies transmises par relations sexuelles,
Dr L. Gendron, 3.00

Maman et son nouveau-né (La),
T. Sekely, 3.00

Mariée veut savoir (La), Dr L. Gendron, 3.00

Ménopause (La), Dr L. Gendron, 3.00

Merveilleuse Histoire de la naissance (La),
Dr L. Gendron, 4.50

Madame est servie, Dr L. Gendron, 2.00

Parents face à l'année scolaire (Les),
collaboration, 2.00

Personne humaine (La),
Y. Saint-Arnaud, 4.00

Pour vous future maman, T. Sekely, 3.00

Quel est votre quotient psycho-sexuel,
Dr L. Gendron, 3.00

Qu'est-ce qu'une famme, Dr L. Gendron, 4.00

Qu'est-ce qu'un homme, Dr L. Gendron, 3.00

15/20 ans, F. Tournier et P. Vincent, 4.00

Relaxation sensorielle (La), Dr P. Gravel, 3.00

Sexualité (La), Dr L. Gendron, 3.00

Volonté (La), l'attention, la mémoire,
R. Tocquet, 3.00

Vos mains, miroir de la personnalité,
P. Maby, 3.00

Votre écriture, la mienne et celle des
autres, F.X. Boudreault, 2.00

Votre personnalité, votre caractère,
Y. Benoist-Morin, 2.00

Yoga, corps et pensée, B. Leclerq, 3.00

Yoga, santé totale pour tous,
G. Lescouflar, 2.00

Yoga sexe, Dr Gendron et S. Piuze, 3.00

SPORTS (collection dirigée par Louis Arpin)

ABC du hockey (L'), H. Meeker, 3.00

Aïkido, au-delà de l'agressivité,
M. Di Villadorata, 3.00

Armes de chasse (Les), Y. Jarrettie, 3.00

Baseball (Le), collaboration, 2.50

Bicyclette (La), J. Blish, 4.00

Course-Auto 70, J. Duval, 3.00

Courses de chevaux (Les), Y. Leclerc, 3.00

Devant le filet, J. Plante, 3.00

Entraînement par les poids et haltères,
F. Ryan, 3.00

Expos, cinq ans après,
D. Brodeur, J.-P. Sarrault, 3.00

Golf (Le), J. Huot, 2.00

Football (Le), collaboration, 2.50

Football professionnel, J. Séguin, 3.00

Guide de l'auto (Le) (1967), J. Duval, 2.00
(1968-69-70-71), 3.00 chacun

Guide du judo, au sol (Le), L. Arpin, **4.00**
Guide du judo, debout (Le), L. Arpin, **4.00**
Guide du self-defense (Le), L. Arpin, **4.00**
Guide du ski: Québec 72, collaboration, **2.00**
Guide du ski 73, Collaboration, **2.00**
Guide du trappeur,
  P. Provencher, **4.00**
Initiation à la plongée sous-marine,
  R. Goblot, **5.00**
J'apprends à nager, R. Lacoursière, **4.00**
Jocelyne Bourassa,
  J. Barrette et D. Brodeur, **3.00**
Karaté (Le), Y. Nanbu, **4.00**
Livre des règlements, LNH **1.00**
Lutte olympique (La), M. Sauvé, **4.00**
Match du siècle: Canada-URSS,
  D. Brodeur, G. Terroux, **3.00**
Mon coup de patin, le secret du hockey,
  J. Wild, **3.00**
Natation (La), M. Mann, **2.50**
Natation de compétition, R. LaCoursière, **3.00**

Parachutisme, C. Bédard, **4.00**
Pêche au Québec (La), M. Chamberland, **3.00**
Petit guide des Jeux olympiques,
  J. About-M. Duplat, **2.00**
Puissance au centre, Jean Béliveau,
  H. Hood, **3.00**
Ski (Le), W. Schaffler-E. Bowen, **3.00**
Soccer, G. Schwartz, **3.50**
Stratégie au hockey (La), J.W. Meagher, **3.00**
Surhommes du sport, M. Desjardins, **3.00**
Techniques du golf,
  L. Brien et J. Barrette, **3.50**
Tennis (Le), W.F. Talbert, **3.00**
Tous les secrets de la chasse,
  M. Chamberland, **2.00**
Tous les secrets de la pêche,
  M. Chamberland, **2.00**
36-24-36, A. Coutu, **2.00**
Troisième retrait, C. Raymond,
  M. Gaudette, **3.00**
Vivre en forêt, P. Provencher, **4.00**
Voile (La), Nik Kebedgy, **4.00**

Ouvrages parus à
L'ACTUELLE JEUNESSE

Crimes à la glace, P.S. Fournier, **1.00**
Echec au réseau meurtrier, R. White, **1.00**
Engrenage, C. Numainville, **1.00**
Feuilles de thym et fleurs d'amour,
  M. Jacob, **1.00**
Lady Sylvana, L. Morin, **1.00**
Moi ou la planète, C. Montpetit, **$1.00**

Porte sur l'enfer, M. Vézina, **1.00**
Silences de la croix du Sud (Les),
  D. Pilon, **1.00**
Terreur bleue (La), L. Gingras, **1.00**
Trou, S. Chapdelaine, **1.00**
22,222 milles à l'heure, G. Gagnon, **1.00**
Une chance sur trois, S. Beauchamp, **1.00**

Ouvrages parus à
L'ACTUELLE

Aaron, Y. Thériault, **2.50**
Agaguk, Y. Thériault, **4.00**
Allocutaire (L'), G. Langlois, **3.00**
Bois pourri (Le), A. Maillet, **2.50**
Carnivores (Les), F. Moreau, **2.50**

Carré Saint-Louis, J.J. Richard, **3.00**
Centre-ville, J.-J. Richard, **3.00**
Cul-de-sac, Y. Thériault, **3.00**
Danka, M. Godin, **3.00**
Débarque (La), R. Plante, **3.00**

Ouvrages parus aux PRESSES LIBRES

Books published by HABITEX

Wine: A practical Guide for Canadians,
P. Petel, **2.95**
Waiting for your child,
Y.P. Marchessault, **2.95**
Visual Chess, H. Tranquille, **2.95**
Understanding Medications,
R. Poitevin, **2.95**
A Guide to Self-Defense, L. Arpin, **3.95**
Techniques in Photography, A. Desilets, **4.95**
"Social" Diseases, L. Gendron, **2.50**
Fondues and Flambes, S. Lapointe, **2.50**
Cellulite, G. Léonard, **2.95**
Interpreting your Dreams, L. Stanké, **2.95**
Aikido, M. di Villadorata, **3.95**

8/Super 8/16, A. Lafrance, **4.95**
Taking Photographs, A. Desilets, **4.95**
Developing your photographs,
A. Desilets, **4.95**
Gardening, P. Pouliot,
Yoga and your Sexuality,
S. Piuze, Dr L. Gendron, **3.95**
The Complete Woodsman,
P. Provencher, **3.95**
Sansukai Karate, Y. Nanbu, **3.95**
Sailing, N. Kebedgy, **4.95**
The complete guide to judo, L. Arpin, **4.95**
Music in Quebec 1600-1800,
B. Amtmann, **10.00**

Diffusion Europe

Belgique: 21, rue Defacqz — 1050 Bruxelles
France: 4, rue de Fleurus — 75006 Paris

CANADA	BELGIQUE	FRANCE
$ 2.00	100 FB	13 F
$ 2.50	125 FB	16,25 F
$ 3.00	150 FB	19,50 F
$ 3.50	175 FB	22,75 F
$ 4.00	200 FB	26 F
$ 5.00	250 FB	32,50 F
$ 6.00	300 FB	39 F
$ 7.00	350 FB	45,50 F
$ 8.00	400 FB	52 F
$ 9.00	450 FB	58,50 F
$10.00	500 FB	65 F